De klas van Daan

www.deklasvandaan.nl
www.ploegsma.nl
www.renevdvelde.nl
www.mark-janssen.nl

René van der Velde

de klas van Daan

met illustraties van Mark Janssen

Uitgeverij Leopold, Amsterdam

Voor Sytske, Bauke en Wobke

ISBN 978 90 216 6660 0 / NUR 281/282

© Tekst: René van der Velde 2009

© Illustraties: Mark Janssen 2009

Vormgeving: Nancy Koot

© Deze uitgave: Uitgeverij Ploegsma bv, Amsterdam 2009

Uitgeverij Ploegsma drukt haar boeken op papier met het FSC-keurmerk.

Zo helpen we waardevolle oerbossen te behouden.

Inhoud

Echt werk!

'Hé stinkerd, schiet eens op! Er wonen nog meer mensen in dit huis en die moeten ook wel eens naar de wc!'

Daan zegt niks. Hij doet de deur echt niet voor zijn zus open. Er valt trouwens weinig te stinken. Hij zit met zijn pyjamabroek aan op de wc-bril en hij komt er niet meer af. Nooit meer.

'Mam! Zeg jij er eens wat van. Daan zit al een halve dag op de wc!'

Daan hoort de slipper-voetstappen van mama naar boven komen. Hij kan nog niet horen hoe haar humeur is.

'Daan, lieverd? Kom je er gauw vanaf?'

Dat klinkt niet als een slecht humeur.

'Nee! Ik ben nog niet klaar!' roept hij.

'Maar je zit er al best lang op en Charlotte moet heel erg nodig.'

'Dan moet ze nog maar even wachten, want ik moet vandaag toevallig wel superveel!'

Zijn zus bonst hard op de deur. 'Deur open of ik trap hem in!'

'Beneden is ook een wc!' roept Daan terug.

'Daar is papa net op geweest, dus daar stinkt het nu een uur in de wind!'

'Zeg, hou jij eens op,' zegt mama. 'Daan heeft gelijk, ga maar beneden.'

'Nou ja, zeg!'

Daan voelt de boze stampvoeten van zijn zus zelfs op de wc.

'Als ik jou straks te pakken krijg, mannetje, dan spoel ik jou met…!'

'Hup, naar beneden jij!' roept mama.

'Kom er nu maar gauw vanaf, jongen. Je wilt de eerste dag in groep 3 toch niet te laat komen?' vraagt ze zodra Charlotte de trap af loopt.

Hij zucht. Nee, natuurlijk wil hij dat niet. 'Ik ga niet naar school!'

'Natuurlijk wel, schat. De vakantie is voorbij. Vandaag ga je voor het eerst naar meester Fred!'

'Meester Fred kan de pot op.' Hij fluistert het heel zachtjes.

Maar mama heeft toch iets gehoord. 'Wat zeg je?'

'Eh, ik zit nog op de… eh… pot!' Gelukkig kan mama zijn rode hoofd niet zien. Natuurlijk meent hij het niet. Meester Fred is de leukste meester van de school. Tenminste, dat zegt Samira. En die kan het weten, want zij heeft al een jaar bij hem gezeten.

'Daan, schiet op. We gaan over een kwartier weg,' roept mama.

'Is goed. Veel plezier!' Hij probeert zijn stem grappig te laten klinken, maar dat lukt niet echt.

Het blijft even stil op de overloop. Zou mama hem gewoon laten zitten? Of haalt ze een schroevendraaier om het slot open te maken? Misschien neemt ze wel een aanloop om de deur in te beuken, zoals Charlotte wilde doen.

Dan hoort Daan haar allerliefste stem vlak bij de deur. 'Ik snap best dat jij nog niet naar groep 3 wilt. Zal ik juf Wendy maar even opbellen en vragen of je nog een jaartje bij haar mag blijven?'

Daan zucht. Natuurlijk heeft mama hem door.

'Misschien moet je dan wel een stoel lenen bij meester Fred,' zegt ze. 'Want ik denk niet dat die twee meloenen van jou nog een jaar op een kleuterstoeltje passen!'

Hij voelt de lachkriebels in zijn buik omhoogkomen. Hij leunt naar voren en schuift het slot zachtjes open.

'Misschien kan Samira je dan wel even helpen sjouwen!'

'De deur is allang open, hoor.' Met zijn voet duwt Daan de wc-deur op een kier.

Mama gluurt naar binnen. 'Ook goedemorgen!'

Daan mompelt iets onverstaanbaars terug.

Mama stapt de wc in en sluit de deur. 'Schuif eens op.' Ze wringt zich naast Daan op de wc-bril. Daan kijkt zijn moeder verbaasd aan.

Ze legt een arm om zijn schouder. 'Spannend hè, zo'n eerste dag?'

Ze is lekker warm. Hij voelt haar rustige ademhaling. 'Eh... nee, hoor!' zegt hij.

'Echt niet?' vraagt ze.

'Nou... eh... misschien een heel klein beetje. Het... eh... werken lijkt me moeilijk,' zegt Daan.

'Werken? Hoe bedoel je?'

'Nou, gewoon. Werken!'

Mama kijkt hem aan. 'Dat is toch niet zo moeilijk. Dat heb je bij juf Jessie toch ook wel gedaan?'

Daan zucht. 'Ja, hallo! Kleuterwerkjes! Dat is toch geen werken?'

Mama kijkt verbaasd. 'O, ik dacht dat werken overal hetzelfde was?'

'Nee, natuurlijk niet. Bij de juf werk je in de bouwhoek en op het verfbord of je gaat een puzzel maken of zo. Maar bij meester Fred moet je de hele dag écht werken.'

'Echt werken?'

'Hmm.' Daan knikt heftig met zijn hoofd. 'In een schrift. Met boeken!'

'En niet verven?' vraagt mama.

'Nee, niet verven,' zegt Daan.

'En ook niet kleien?'

'Nee, ook niet!'

'En buiten spelen dan?'

Daan aarzelt. 'Eh... nee... ik geloof van niet.'

'Pff, dat is inderdaad een probleem! Niet eens buiten spelen, alleen maar werken.' Mama blijft even stil. 'Maar dat werken is toch ook wel eens klaar, hoop ik?'

'Ja, natuurlijk wel,' zegt Daan. 'Dan moet je lezen.'

'Lezen? Wie zegt dat?'

'Samira! Als je klaar bent met je werk, moet je gaan lezen!'

'Oei! Dus het is eigenlijk alleen maar werken... en lezen?' vraagt mama.

'Ja!' Hij zucht nog eens, heel diep en heel lang. 'En weet je...?' Daan kijkt zijn moeder verdrietig aan. 'Ik kán nog niet eens lezen.'

Het blijft even heel stil in het kleine kamertje. Beneden wordt de wc doorgespoeld.

Dan springt mama plotseling omhoog. Ze duwt Daan bijna plat tegen de muur. 'Ik snap het al!'

'Mama, ik stik bijna!' Hij trekt haar terug op de bril. 'Wat snap je al?'

'Nou, als je klaar bent met je werk, kun jij niet gaan lezen. Dat is alleen voor Samira en de andere kinderen van groep 4.' Mama kijkt hem aan alsof ze een geweldige uitvinding heeft gedaan.

Maar Daan begrijpt haar nog niet. 'Ja, en wij dan?'

'Nou, de kinderen uit groep 3 die nog niet kunnen lezen, gaan dan verven of tekenen of eh...!'

'Buiten spelen?' roept Daan.

'Precies!' zegt mama.

Daan kijkt zijn moeder aan. 'Denk je echt?'

'Natuurlijk!' zegt ze. 'Je kunt toch niet alleen maar werken? Je moet ook andere dingen kunnen doen. Wat dacht je van spelletjes of zingen en...!'

'Eten!' Daan springt op en wil de deur openmaken.

Maar mama trekt hem weer terug. 'Stil eens,' fluistert ze, 'ik hoor iemand.'

Nu hoort Daan het ook. 'Charlotte?'

Mama knikt en ze legt een wijsvinger op haar lippen.

Daan hoort zijn zus op de overloop. Het is even stil, maar dan klinkt er door het hele huis: 'Nou ja zeg! Hij zit er nog steeds op!'

Daan houdt zijn adem in. Hij ziet het gezicht van zijn moeder rood worden. Ze knikt met haar hoofd naar de deur.

Hij snapt het. 'Eh, ja, ik zit er nog. Ik moet superveel! Maar het duurt niet zo lang meer, hoor!' Hij moet ontzettend veel moeite doen om zijn stem zo gewoon mogelijk te laten klinken.

'Niet zo lang meer?' schreeuwt Charlotte. 'Man, de dag is al bijna voorbij! Mama, hoor je dat? Mama? Waar zit je eigenlijk?'

Daan voelt het schudden van mama's buik. Dan zegt ze zacht, maar duidelijk genoeg: 'Eh, hier, lieverd. Ik zit hier!'

Het blijft heel lang stil.

Dan klinken Charlottes roffelende voeten op de trap. Daan en mama horen haar beneden roepen. 'Papa, we moeten direct verhuizen! Mama en Daan zijn nu echt hartstikke gek geworden. Ze zitten sámen op de wc!'

Daan gooit de wc-deur open en springt schaterend naar buiten. 'Klaar!'

Mama komt naast hem staan. 'De wc is weer vrij!' roept ze.

Daan moet zo lachen dat hij bijna in zijn broek piest. Hij duwt mama opzij en rent de wc weer in.

'Moet je nu alweer?' vraagt mama.

Daan grijnst. 'Ja! En trouwens, wil je deur even dichtdoen? Dit is privé!'

Ik

'Doe niet zo gek, Daan!' zegt mama. 'Natuurlijk ga ik nog even mee naar binnen. Dit is pas je tweede dag.'

'Nou, goed dan. Maar je hoeft niet lang te blijven hoor!' Daan hangt vlug zijn jas aan de kapstok.

Bij de deur staat Samira al op hem te wachten. 'Heb je de doos bij je?' vraagt ze.

'Ja, hoor.' Voorzichtig haalt Daan een rode schoenendoos uit zijn tas. 'Kijk!' Op het deksel staat met grote letters *ik*!

'Zelf geschreven?' Samira steekt haar hand uit, maar Daan trekt de doos meteen weer naar zich toe. 'Zelf geschreven. Zelf gemaakt!'

'Ik mag ook niets weten, hoor, Samira!' zegt zijn moeder. 'Heb jij ook zo'n doos?'

'Nee, ik niet,' antwoordt Samira. 'Alleen de derdegroepers. Ze hebben gisteren het woordje *ik* geleerd en nu mogen ze vandaag hun ik-doos laten zien. Dat doet onze meester ieder jaar!'

Als ze in de klas komen, zitten de meeste kinderen al in de kring. Je ziet zo wie de derdegroepers zijn, want die hebben allemaal een doos op schoot. Meester Fred leunt op een enorm grote doos die bij zijn bureau staat. Aan de buitenkant staat een tv-scherm. Daar staat ook al met mooie letters *ik* op geschreven.

Samira stoot Daan even aan. 'Die doos had hij vorig jaar ook.

Zal ik zeggen wat erin zit?'

Daan schudt zijn hoofd. 'Nee, natuurlijk niet. Dat mogen we straks raden!'

Als de ouders zijn verdwenen, kijkt meester Fred de kring rond. Het wordt helemaal stil. 'Dit is een belangrijke dag voor groep 4.'

'O, jammer,' zucht Sjaak. 'Ik dacht dat de derdegroepers hun doos mochten laten zien!'

De meester doet alsof hij niets gehoord heeft en zegt: 'Gisteren hebben de vierdegroepers hun nieuwe klasgenoten voor het eerst gezien. Maar vandaag zullen ze de derdegroepers pas echt goed leren kennen.'

Daan kijkt even naar Samira. Zij kennen elkaar al heel erg lang.

'Maar wanneer mag ik de doos dan laten zien?' roept Sjaak.

De meester glimlacht. 'Nu, Sjaak! Vandaag mag iedereen van groep 3 zich voorstellen. En jij mag als eerste.'

Sjaak kijkt verbaasd. Hij begrijpt het nog steeds niet.

'Ik ben benieuwd wie jij bent, Sjaak. Laat maar eens zien welke drie spulletjes er in jouw doos zitten!'

'O, nou snap ik het!' Sjaak tilt het deksel op en schudt de doos leeg op zijn schoot. Een computerspelletje, een deksel van een pot en een voetbalschoen met een modderkluit er nog onder.

'Dit ben ik. Want ik hou van...!'

'Nee, verklap dat nog maar niet,' zegt de meester. 'Is er iemand uit groep 4 die nu iets over Sjaak kan vertellen?'

Daan zegt niets. Hij heeft plotseling een vreemd gevoel in zijn maag. Heeft hij het wel goed begrepen? Voorzichtig tilt hij het deksel van zijn eigen doos een heel klein beetje omhoog. Er zitten allemaal foto's in. Een foto van hun huis, een foto van de vakantie met papa en mama voor de tent, een foto van Ko, zijn konijn, en nog veel meer. Daan heeft ze gisteren voorzichtig uit zijn fotoalbum gehaald.

Maar Sjaak heeft helemaal geen foto's meegenomen.

'Ik weet het, meester!' Roosmarie staat te springen bij haar stoel. 'Sjaak houdt van computeren en Sjaak zit op voetbal en...'

'En Sjaak zijn grootste hobby is dekseltjes sparen!' roept Bart.

'Mis!' zegt Sjaak. 'Ik hou van patat!'

'Hè?' zegt Roosmarie. 'Patat? Waarom neem je dan zo'n deksel mee?'

'Dat is het deksel van de mayonaisepot. Ik ben gek op patat met mayonaise!'

Meester Fred steekt zijn duim omhoog. 'Hartstikke leuk, Sjaak. Jij hebt jezelf heel goed aan ons voorgesteld!'

Daan bijt op zijn lip. Zie je wel, hij heeft het helemaal verkeerd begrepen. Iedereen heeft de doos natuurlijk gevuld met allemaal leuke spulletjes. En hij heeft er alleen maar stomme foto's in gestopt.

'Daan?' Meester Fred kijkt hem vriendelijk aan. 'Wil jij nu?'

Daan slikt. Zijn mond is droog. Voorzichtig schuift hij zijn trui

een beetje over de rode doos. Dan schudt hij zijn hoofd.

'Geeft niet, hoor,' zegt de meester, 'dan mag jij vanmiddag!'

'Waarom wilde jij nou niet?' zegt Samira. 'Nu weet ik nog niet wat jij erin hebt gestopt.'

Het is pauze. Daan en Samira staan onder de hoge kastanjeboom.

'Ik laat hem niet zien. Mijn doos is niet goed,' zegt Daan zacht.

Samira kijkt hem verbaasd aan. 'Wat is er dan niet goed?'

'Nou, alles! Mijn doos is hartstikke fout.' Zijn stem klinkt schor. Hij kijkt om zich heen en fluistert dan: 'Ik dacht dat we foto's mee moesten nemen.'

'Heb je alleen maar foto's in die doos gedaan?'

Daan knikt. Dan voelt hij een hand van Samira op zijn schouder.

'Ik denk dat de meester foto's ook wel goedvindt, hoor!'

'Nee, natuurlijk niet. Dan kun je toch niets raden over wat ik doe en zo?'

'Je kunt ze toch gewoon laten zien?' zegt Samira. 'Ik vertel wel dat jij je een beetje hebt vergist.'

'Nou, mooi niet. Ik laat helemaal niets zien!'

Het blijft even stil.

'Wacht eens!' De ogen van Samira beginnen te schitteren. 'Wat zijn jouw hobby's eigenlijk?'

'Mijn hobby's? Eh... dat weet je toch wel. Buiten spelen!'

'Nog meer?'

'Ja, tekenen ook. Maar waarom vraag je dat?'

Samira bukt zich en raapt een kastanjeblad van de grond. 'Kom. We gaan jouw doos vullen!'

'Jij bent als laatste aan de beurt, Daan,' zegt meester Fred. 'Ik ben heel nieuwsgierig wat er in jouw ik-doos zit.'

De dag is bijna afgelopen. Ze zitten weer in de kring. Daan voelt de rode doos mee trillen met zijn knieën. Hij kijkt naar Samira, die tegenover hem zit. Toe maar, knikt ze. Dan tilt hij het deksel op en pakt drie plastic zakjes uit de doos.

'Wat is dat nou weer?' zegt Sjaak.

Daan slikt. Is dit wel leuk?

Maar Samira roept snel: 'Mag ik iets over Daan vertellen?'

'Ja hoor,' zegt de meester. 'Maar dan moet Daan wel even laten zien wat er in die zakjes zit.'

Vlug schudt hij de zakjes leeg in het deksel van de doos.

'Kijk, dat is puntenslijpsel,' zegt Samira. 'Want Daan houdt van tekenen. En dat kan hij heel goed.'

Daan voelt dat zijn wangen rood worden. Vlug laat hij een papiertje uit het tweede zakje zien. Daar heeft hij met mooie letters *ik* opgeschreven.

'O, ik snap het al,' lacht Bart. 'Daan houdt ook van zichzelf.'

'Mis! Dat betekent dat hij heel graag wil leren lezen en schrijven.'

'Nou, het woordje *ik* kan hij in ieder geval al prachtig schrijven,' zegt de meester. 'Maar wat bedoelt hij dan met dat kastanjeblad?'

'Simpel toch?' roept Samira. 'Dit blad komt van buiten en de grootste hobby van Daan is… Buiten spelen!'

Sommige kinderen in de kring knikken. Dat hadden zij ook wel in hun doos willen doen!

'Wat een superdoos, Daan,' zegt meester Fred. 'Nu weet ik helemaal wie jij bent!'

'Hé, er zit nog iets in!' roept Sjaak, die zijn neus in de doos steekt. 'Een foto!'

Daan schrikt en kijkt in de doos. Hij dacht dat hij ze er allemaal uit had gehaald. Inderdaad, daar ligt nog één foto. Vanaf de bodem van de doos zwaait een vrolijk lachend meisje naar hem.

'Wil je nog iets over jezelf laten zien, Daan?' vraagt de meester.

Hij twijfelt. Maar dan pakt hij de foto en laat hem trots aan de kinderen zien. 'En mijn beste vriendin is Samira!'

Een drukke dag in de ruimte

Meester Fred schrijft met grote letters op het bord: maan.

Daan vindt het geen moeilijk woord. Het lijkt op zijn naam.

Meester Fred kijkt de kinderen aan. 'Wie weet...?'

Daan steekt zijn vinger als een raket de lucht in.

De meester glimlacht, maar maakt zijn vraag af: 'Wie weet welke twee woorden hier staan?'

Twéé woorden? Daan laat zijn vinger snel zakken.

Maar meester Fred doet alsof hij dat niet ziet. 'Zeg het maar, Daan!'

'Eh... *maan*... en... eh...'

'Ja, goed zo. *Maan*. En wat is het andere woord?'

Li Mei zwaait met haar vinger.

'Makkie, kippekakkie!' roept Sjaak.

Maar Daan ziet echt maar één woord op het bord staan. Hij krijgt het er helemaal warm van.

Meester Fred leunt met één hand tegen het bord, precies op de eerste letter van *maan*.

Nu ziet Daan het wel! 'Aan!' roept hij vlug.

'Goed gelezen, Daan,' zegt meester Fred. '*Maan* en *aan* in één woord.'

'En nog één, meester!' schreeuwt Sjaak. '*Ma*! Er staat ook nog *ma*!'

'Je hebt helemaal gelijk, Sjaak. Dan leren we vandaag dus

20

eigenlijk drie nieuwe woorden.'

Leuk zeg. Drie nieuwe woorden op één dag.

Meester Fred zet zijn stoel in de kring. 'Ik ga jullie eerst wat moeilijke dingen over de maan vertellen. Daan en Sjaak, willen jullie even de wereldbol bij juffrouw Riet halen?'

Daan twijfelt. Naar juffrouw Riet? Liever niet, maar dat durft hij niet te zeggen.

Sjaak staat al in de gang. 'Kom je nog?'

'Durf jij het te vragen aan Friet?' zegt Daan als ze voor de deur staan.

Sjaak begint te lachen. 'Hoor je wat je zegt? Je zegt "Friet". Maar ze heet Riet.'

'Weet ik wel,' zegt Daan. 'Maar zo noemt Charlotte haar ook!'

'Wie?'

'Charlotte, dat is mijn zus,' zegt Daan. 'Ze zit in de boven-bouw. Iedereen in de bovenbouw zegt Friet.' Daan kijkt naar Sjaak. 'Maar wij niet hoor! Ze kan heel boos worden!'

'Nee, natuurlijk niet. Ik ben niet gek!' Sjaak klopt twee keer hard op de deur en loopt direct naar binnen. 'Meester Fred wil de wereldbol even gebruiken.'

Daan blijft een beetje schuin achter Sjaak staan. Hij heeft nog niks gezegd en toch voelt hij zijn hart keihard bonzen.

Juf Riet staat met een krijtje bij het bord en kijkt verstoord om. 'Even wachten, ventje, wij zijn net met een hele lastige som bezig.'

Daan ziet Charlotte. Ze zwaait vrolijk naar hem. Heel voorzichtig tilt hij zijn hand een beetje op.

Met een tik laat juffrouw Riet het krijtje in het bakje vallen. 'Zo, en nu jullie!'

Ze praat langzaam, maar met een harde stem. 'Dus Fred wil de wereldbol?'

Sjaak doet een stap achteruit en geeft Daan een por.

Daan kijkt de juf niet aan. 'Ja,' fluistert hij. Het lijkt net alsof hij zijn stem niet harder kan maken.

Juf Riet pakt een glimmende bol op een houten voet van de kast. 'En wat wil hij jullie dan leren met ónze dure wereldbol?'

Daan probeert zijn droge keel weg te slikken. Heel even kijkt hij naar Charlotte. Ze knikt naar hem: toe dan! Zeg dan wat!

Hij haalt diep adem. 'Meester Fred wil ons iets moeilijks vertellen over de ruimte.' Gelukkig! Zijn stem doet het weer. Hij trilt alleen nog een beetje.

Nu durft Sjaak ook. 'We leren vandaag *maan*!'

'Zo, dat is lastig!' zegt juf Riet. Maar Daan kan wel horen dat ze het niet echt meent. 'Als jullie bij mij komen wordt het echt moeilijk hoor! Dan leer ik jullie alles over Mars en Saturnus en... Mer-cu-ri-us!'

Dan geeft ze eindelijk de wereldbol aan Daan.

Als ze terugkomen in de klas, zit iedereen al in de kring. De gordijnen zijn dicht en de lichten zijn uit.

Meester Fred wijst naar een kruk die in het midden staat. 'Daan, wil jij met de bol heel langzaam om de kruk heen lopen? Jij bent onze aarde!'

Daan probeert serieus te kijken en wandelt heel langzaam door de kring met de wereldbol voor zijn buik.

De meester geeft Li Mei een pingpongballetje. 'Zo, jij bent de maan. Jij mag proberen om rondjes om Daan heen te draaien.'

Li Mei zwaait vrolijk met het balletje terwijl ze rond Daan huppelt.

'Je bent een leuke maan, Li Mei,' zegt meester Fred, 'maar je vergeet te schijnen!'

Li Mei staat stil en kijkt de meester aan. Ze snapt niet wat hij bedoelt.

De meester loopt naar zijn bureau en trekt een la open. 'Ik zit je een beetje te plagen hoor!' Hij pakt er een grote zaklamp uit en geeft die aan Mehmet.

'De zon!' roept Bart.

'Precies, de zon. De ruimte was nog niet klaar.'

Meester Fred zet Mehmet op de kruk. 'Jij mag schijnen, meneer de zon. Richt de zaklamp maar op Li Mei!'

Het ziet er heel mooi uit, want het pingpongballetje ziet er nu echt veel lichter uit, net alsof het schijnt.

'Je straalt prachtig, maan!' roept de meester. 'Met hulp van de zon. En als Li Mei zich achter Daan verstopt, dan schijnt ze niet!'

Eigenlijk wist Daan het al een beetje, maar dit is veel leuker. Zoals de meester het nu vertelt lijkt het wel een toneelstuk.

Meester Fred vertelt nog veel meer. Vooral over de maan. Dat de maan wel 380.000 kilometer bij ons vandaan staat en dat een reis met een raket wel een paar dagen duurt. Hij vertelt ook

dat er wel eens mensen op de maan zijn geweest. Roosmarie is een astronaut. Zij mag op de rug van Li Mei zitten. Heel eventjes maar, want anders stort de maan in!

Dan loopt de meester naar de deur om het licht weer aan te doen. 'Nou jongens, ik denk dat jullie nu wel genoeg geleerd hebben!'

'In de bovenbouw moeten we nog veel moeilijkere dingen leren!' roept Sjaak. 'Over Mars en zo.'

'Wie zegt dat?' Meester Fred staat met zijn hand bij het lichtknopje, maar hij drukt het nog niet in.

'Juf Friet!'

'Juf Riet, meester!' verbetert Daan vlug.

Maar de meester heeft de bijnaam niet eens gehoord. Hij doet het licht niet aan, maar gaat weer in de kring zitten. 'Dus juf Riet denkt dat jullie dat in de bovenbouw pas leren?'

Daan knikt. 'Ook over Saturnus en Mer... eh...'

'Mercurius?' roept Samira.

Meester Fred kijkt de klas aan alsof hij een geheim gaat vertellen. 'Wie heeft er nog een beetje ruimte in zijn hersenpan?'

Alle vingers schieten de lucht in. En dan wordt het pas echt een toneelstuk. Er mogen nog veel meer planeten in de kring lopen. Meester Fred laat zelfs een paar hoepels halen. Dat zijn de ringen van Saturnus. Er komen nog andere manen bij. En er mogen ook een paar kinderen op de stoelen staan. Dat zijn nieuwe sterren. Op het laatst doet iedereen mee. En meester Fred vertelt heel veel moeilijke dingen. Echt dingen uit de bovenbouw!

Daan is met de wereldbol maar even op zijn stoel gaan zitten. Hij begrijpt het niet allemaal meer. Maar dat vindt hij helemaal niet erg. Dit is echt een leuke les! En dat komt allemaal door het nieuwe woord.

Hij kijkt naar het bord en leest de letters nog eens zodat het woorden worden: *m-aa-n* en *aa-n*. En als je achteraan begint: *n-aa-m*!

'*Naam*!' Daan schreeuwt het door de klas. 'Er staat nog een woord, meester: *naam*!'

Meester Fred stopt met vertellen. Alle kinderen staan plotseling stil in de kring. Iedereen kijkt eerst naar Daan en dan naar het bord.

Het is bijna te donker om te kunnen lezen, maar gelukkig schijnt Mehmet bij met de zon. 'Daan heeft gelijk, meester!' roept hij. 'Als je achterstevoren leest staat er *naam*!'

Meester Fred grinnikt. 'Goed gelezen, meneer de aarde.' Hij doet het licht weer aan en gooit de deur open. 'We hebben genoeg geleerd vandaag. Nu kunnen we alleen nog maar buiten spelen!'

Iedereen rent naar de gang. Als Daan bij de deur komt tikt meester Fred nog even op zijn schouder. 'En als juf Friet later ook over de ruimte gaat vertellen, dan zeg je maar dat je alles al weet!'

Daan knikt en huppelt door de deur. Midden in de gang draait hij zich plotseling om. Friet? Zei de meester 'juf Friet'?

Maar meester Fred is alweer naar binnen gelopen.

Toveren met letters

'Oké, jongens, tijd voor iets nieuws!' Meester Fred doet de hoge kast open en pakt er een platte blauwe doos uit.

'De letterdoos,' fluistert Samira tegen Daan. 'Jullie krijgen een letterdoos!'

'Kijk maar eens goed wat ik hier in mijn handen heb,' zegt meester Fred. Hij steekt de doos naar voren, als een gouden ring op een rood kussentje.

'Voorzichtig, mees, anders valt hij misschien weer!' roept Bart van achter uit de klas. 'Weet u nog wel?'

'Ja, ja, het is al goed hoor! Dank je wel dat je mij er nog even aan herinnert.' Daan ziet dat meester Fred een beetje rood wordt. 'Maar ik geloof dat ik dat maar niet ga vertellen. Dat hou ik liever geheim,' zegt de meester.

'Groot gelijk, meester! Dat zou ik ook maar geheimhouden!' roept Bart lachend.

'Fijn, Bart, dan mag jij nu wel met de rekentaak beginnen en... eh... de andere vierdegroepers ook. Dit is alleen bedoeld voor de kinderen van groep 3.'

Meester Fred gaat in zijn rieten stoel zitten. Die staat midden in het lokaal, waar ze altijd een kring maken. Hij draagt de doos nog steeds op zijn platte hand. 'Groep 3? Kom maar wat dichterbij!'

Daan staat snel op en zet zijn stoel naast de meester.

Het is even een rommeltje in de kring. Iedereen probeert vlak bij meester Fred met de doos te zitten. Meestal brult hij dan: stilte! Maar vandaag niet. Hij zit in de stoel zonder zich te bewegen en staart alleen maar naar de blauwe doos. Dat ziet er leuk uit. De kinderen van groep 3 worden vanzelf weer rustig.

Li Mei heeft de plek aan de andere kant van de rieten stoel veroverd. 'Wat zit erin, meester?' vraagt ze.

Als antwoord legt hij een wijsvinger op zijn lippen: 'Sssst!' Dan zet hij de doos voorzichtig op zijn schoot, maar hij houdt hem wel goed vast.

'Wie weet wat ik hier in mijn handen heb?' vraagt hij.

'Een letterdoos!' roept Sjaak. 'Wist ik allang!'

'Bijna goed,' zegt de meester. 'Maar nog niet helemaal.'

De kinderen kijken verbaasd. Ze dachten ook dat het een letterdoos was!

Daan kijkt even naar Samira. Zij zei toch ook letterdoos? Maar Samira zit over haar werk gebogen en merkt niets van wat er in de kring gebeurt.

'Is het dan een... eh... woorddoos?' vraagt hij.

'Nee, ook niet,' antwoordt meester Fred.

'Misschien een... eh... verhuisdoos?' giechelt Li Mei.

'Nee, dat denk ik niet, hoor! Ik zal het jullie maar vertellen. In onze klas heet het geen letterdoos, maar een...!' Hij kijkt de kring even rond en fluistert dan: 'Tóver-letterdoos!'

'Ja hoor, een toverdoos van plastic zeker?' zegt Sjaak meteen.

Meester Fred doet alsof hij niets gehoord heeft. Hij houdt de doos met één hand vast en met de andere hand maakt hij hem voorzichtig open.

'Pas op, mees!' klinkt een plagerige stem van achter uit de klas.

'Doorwerken, Bart!' roept meester Fred, zonder op te kijken.

Daan schuift nog iets dichterbij. Hij heeft een lekkere kriebel in zijn buik.

Heel langzaam komt het deksel omhoog.

Daan ziet als eerste de vakjes vol letters. Het bijzondere gevoel is in één klap verdwenen. 'Alleen maar letters,' zegt hij teleurgesteld.

Sjaak draait zich half uit de kring. 'Pff, dat zei ik toch al. Gewoon, een saaie letterdoos!'

'Ja, sorry jongens,' zegt de meester. 'Ik houd jullie misschien een beetje voor de gek.' Hij zet de doos voor zijn voeten op de grond en draait hem naar de kring. 'Maar eigenlijk toch ook weer niet, want je kunt hier wel de mooiste woorden mee toveren.'

De kinderen buigen zich naar voren om alles goed te kunnen zien. Ook Sjaak zit allang weer recht.

'Kijk, zie je deze randjes?' Meester Fred wijst naar het openstaande deksel. 'Daar kun je met de letters allemaal woorden op leggen. Korte of lange woorden, spannende en ook... eh... hele saaie woorden.' Hij kijkt even naar Sjaak. Die is van zijn stoel gegleden en zit nu vlak voor de doos op de grond.

'Meester, meester?' Sofie zwaait met haar vinger in de lucht. 'Meester, maak eens een heel lang woord?'

'Ja,' zegt Daan, 'en dan ook spannend!'

Meester Fred denk even na. 'Lang en spannend, hè?'

De meeste kinderen zijn opgestaan en komen dichterbij. Daan ziet dat de meester de letters een voor een op het deksel legt. Sommige letters herkent hij, maar er zitten ook veel nieuwe letters tussen.

'Is het wel een echt woord?'

'Ja natuurlijk, Daan. Een echt lang woord en ook een beetje spannend!'

'Is het dan misschien... eh... pistool?' fluistert Li Mei.

'Nee hoor, veel langer,' zegt de meester.

'Is het moordenaar?' roept Sjaak. Hij draait zich om en kijkt rond of iedereen hem wel gehoord heeft.

'Oei, nee, ook niet!' zegt meester Fred. 'Doe maar iets minder spannend!'

Daan heeft geen idee. Hij kijkt de klas rond. Dan ziet hij dat de meeste kinderen van groep 4 met hun vinger zitten te zwaaien. Samira is zelfs gaan staan.

'Zo te zien zijn er een paar slimme kinderen uit groep 4 die ook even mee willen doen,' zucht meester Fred.

'Meester, meester!' roept Samira. 'Mag ik het zeggen?'

'Nou, vooruit dan. Maar alleen als je het vanaf daar kunt lezen.'

Daan schuift met zijn stoel achteruit zodat Samira het nog beter kan zien. Maar ze is al op haar eigen stoel geklommen en leest met een harde stem: 'Er staat... let-ter-doos-ge-hei-men!'

Even blijft het stil, dan fluistert Daan: 'Echt, meester? Staat dat er echt?'

Meester Fred knikt. 'Echt waar. Samira leest het helemaal goed. Knap, hè?'

'Ik vind het helemaal niet zo'n spannend woord,' bromt Sjaak.

'O, nee?' roept Bart door de hele klas. 'Dan ken jij het letterdoosgeheim van de meester nog niet. Vorig jaar, toen...'

'Ja, ho maar, Bart. Ik wou het nog even geheimhouden, weet je wel?' Meester Fred is gaan staan. 'Dank je wel, Samira, voor de oplossing. En dank je wel... eh... Bart, voor de interessante aanvulling. Maar nu mogen jullie weer met het rekenwerk vergaan.'

Meester Fred zit nu ook op de grond. Bijna alle kinderen hebben een woord op de doos gelegd. Sofie heeft het woord *maan* gemaakt en als Daan aan de beurt is, legt hij daar zijn eigen naam achter: *daan*. 'Dat rijmt!' zegt hij.

'Klopt!' zegt meester Fred. 'Goed verzonnen. Wie kan er nog een rijmwoord bij bedenken?'

Sjaak duikt bijna boven op de letterdoos. 'Ik! Ik! Het lijkt op mijn eigen naam, maar dat is het niet.'

Daan tuurt naar het nieuwe woord. Maar voordat hij het kan lezen roept Sjaak al: 'Sjaan! Er staat SJAAN. Da's mijn tante!'

'Heel goed, Sjaak. Super!'

De lekkere kriebel in Daans buik is weer helemaal terug. Dit is echt leuk! Maar dan ruimt meester Fred de letters op en gaat weer met de doos in zijn stoel zitten.

'Gaan we niet verder?' vraagt Daan teleurgesteld.

'Jawel hoor,' zegt de meester, 'maar ik dacht, misschien vinden jullie het leuk om een eigen letterdoos te krijgen?'

'Joepie!' Iedereen springt op en gaat snel aan zijn eigen tafel zitten.

'Rustig, jongens,' zegt meester Fred. 'Ik wil niet dat er straks een doos op de grond ligt.'

Bart grinnikt. 'Dit lijkt mij wel een goed moment om even over vorig jaar te vertellen, meester!'

Meester Fred draait zich met een ruk om. 'Dat zouden we toch geheim...!'

KLENG! De letterdoos valt met een klap op de grond en honderden losse letters vliegen door de lucht.

Meester Fred wordt helemaal rood. 'Nee hè, niet weer!'

Het is even doodstil in de klas.

Maar dan schiet Daan in de lach. Hij wil het niet, maar het gaat vanzelf. Het ziet er ook zo grappig uit, meester Fred die met een verdrietig gezicht tussen een grote berg met letters staat.

Om de lippen van de meester verschijnt een heel klein glimlachje. Hij slaakt een hele diepe zucht en veegt de letters met zijn handen bij elkaar. 'Dit gaan jullie toch niet thuis vertellen, hè?'

'Nee hoor,' zegt Daan. 'Dit blijft ons geheim. Een echt letterdoos-geheim!'

Ben je boos? Pluk een roos!

De school is uit. Daan loopt met Samira naar huis. Dat doen ze altijd samen. Het is maar twee straten verder en ze wonen vlak bij elkaar.

'Is jouw roos goed gelukt?' Samira wijst naar de rol papier onder zijn arm.

Daan knikt en stopt om de tekening te laten zien.

Vandaag hebben ze het woord *roos* geleerd. Aan het eind van de dag heeft hij een mooie rode roos getekend met donker-groene blaadjes aan de stengel. Zonder stekels. Met de letter-stempels heeft hij er heel vaak *roos* omheen gestempeld.

'Mooi!' zegt Samira. 'Vooral die blauwe lucht van letters!'

'Ik denk dat ik hem aan mama geef.'

'Ja, moet je doen,' zegt Samira. 'Een roos is een liefdesbloem, dat vinden moeders altijd leuk.'

Tevreden rolt Daan zijn kunstwerk weer op.

'Hoewel...!' Samira kijkt om zich heen. 'Een echte roos is natuurlijk nog leuker!'

Daan ziet iets glinsteren in haar ogen. 'Je bedoelt uit de win-kel met een kaartje eraan?'

'Ja, een kaartje is ook leuk. Maar... eh...' Samira komt een stapje dichterbij en fluistert: 'Het hoeft natuurlijk niet per se een roos uit de winkel te zijn.'

'Je bedoelt...?'

34

'Precies!' Ze pakt zijn schouders en draait hem een kwartslag om.

Daan ziet een wit huis met een kleine voortuin. Een smal tegelpad loopt naar een groene voordeur met een raampje erin.

'Kijk! Daar!' Samira wijst langs zijn hoofd.

Maar Daan heeft het al gezien. Naast de deur klimt een plant langs een regenpijp omhoog. En helemaal bovenin, tegen het dakje boven de deur, bloeit één rode roos!

'Het is er maar één!' Hij fluistert nu ook.

'Ja, precies goed toch? Je hebt er ook maar één nodig.'

'Maar je denkt toch zeker niet dat ik daar naar boven klim? Ik ben niet gek!'

Samira staat al in de voortuin. 'Even proberen. Misschien kan ik er zo wel bij!'

Daan vindt het maar niks. 'Kijk maar uit. Straks springt er zo'n grote bloedhond naar buiten!'

Samira is naar het voorraam gelopen en klopt zomaar op de ruit. 'Zie je wel! Niemand thuis! Zelfs niet zo'n blaffende knakworst op vier pootjes!'

Daan twijfelt. Het is inderdaad een heel mooie roos. Mama zal hem prachtig vinden. Hij kan hem misschien met een lintje aan de tekening vastmaken. 'Denk je dat jij in die regenpijp kunt klimmen?'

Samira schudt stevig aan de pijp. 'Dat zal wel lukken ja!'

'Oké. Dan blijf ik hier op wacht staan.' Daan probeert zijn stem zo stoer mogelijk te laten klinken, maar dat lukt niet echt.

Samira lacht. 'Is goed, soldaat. Ik ben zo terug!'

Als een aap klimt ze naar boven. Met twee handen trekt ze zich op het smalle afdakje boven de deur. Ze zwaait naar Daan. 'Alles veilig?'

Vlug kijkt hij om zich heen. Niemand te zien! Hij steekt zijn duim omhoog.

Samira breekt de roos voorzichtig af. Het is een leuk gezicht als ze met de roos tussen haar tanden de regenpijp weer vastpakt.

Daan is trots op zijn vriendin. Zij durft echt alles!

Plotseling geeft Samira een keiharde schreeuw: 'Au!' De roos valt uit haar mond en één tel later ligt Samira ook beneden.

'Wat doe je nou?' roept Daan.

Samira zit op haar billen en kijkt naar een rode schram op haar arm. 'Ik lig lekker te zonnen. Nou goed!'

Plotseling klinkt er een schel geblaf achter de deur. Daan schrikt zich rot.

'Flip! Koest!'

Het deurraampje gaat open. Een oude mevrouw met grijswitte haren steekt haar hoofd naar buiten. Ze kijkt Daan boos aan. 'Wat gebeurt hier allemaal?'

Daan staat als bevroren bij het hekje. Hij durft niks te zeggen.

Dan verschijnt er ook nog een keffend bruin snuitje in het raam. Het hondje wurmt zich langs het hoofd van de mevrouw en springt naar buiten. Hij stopt met blaffen en loopt naar Samira, die nog steeds op de grond ligt. Hij doet zijn kleine bek open... en likt met zijn natte tong over haar wang.

Samira hoest en proest.

'Flip! Af!' De oude vrouw doet de deur open en staat met haar handen in de zij op de drempel. Eigenlijk ziet het er grappig uit. Want haar boze gezicht past helemaal niet bij de vrolijke bloemetjesjurk die ze draagt.

'Zo jongedame, en waarom lig jij daar in mijn tuin?'

Samira probeert te gaan staan.

'Eh... ik viel... eh... naar beneden!' Vragend kijkt ze naar Daan.

Hij voelt zijn benen trillen. Langzaam stapt hij naar voren. 'Het is mijn schuld, mevrouw!' Zijn stem klinkt schor en zachtjes.

Dan springt Samira op. 'Nee hoor, mevrouw. Ik zag die roos...!' Ze wijst omhoog naar de lege rozenstruik.

'O! Mijn roos!' De vrouw slaat een hand voor haar mond. 'Mijn enige roos! Heb jij mijn enige roos geplukt?' Het klinkt niet eens boos. Alleen maar heel verdrietig.

Daan gaat naast Samira staan. 'Ze heeft hem voor mij geplukt, mevrouw. Ik heb vandaag *roos* op school geleerd. Ik wilde hem aan mijn...!'

Maar de mevrouw luistert niet naar hem. Ze draait zich om en sloft naar binnen. De deur blijft openstaan.

Daan friemelt aan zijn tekening, die nog steeds onder zijn arm geklemd zit. Hij heeft een raar gevoel in zijn maag. Hij kijkt Samira aan. Op haar gezicht zitten allemaal zwarte vegen.

'Sorry!' mompelt ze.

Daan legt een hand op haar schouder. 'Het is niet alleen jouw schuld hoor! Ik wilde het toch ook?'

Samira zucht. 'Wat nu?'

Daan loopt naar de voordeur en gluurt de gang in. De kamerdeur staat op een kier. 'Denk je dat we naar haar toe moeten
gaan?'

'Eigenlijk wel, ja!' Samira komt naast hem staan. 'We moeten
zeggen dat het ons spijt.'

'Klinkt dat niet een beetje dom?' vraagt hij.

'Heb jij een beter idee dan?'

Daan zegt niets.

Samira loopt langzaam de gang in en geeft de kamerdeur een
duwtje. Ze draait zich om naar Daan. 'Kijk dan!'

Daan heeft het zelf ook al gezien. De kamer staat vol met
rozen. Overal staan vazen met alleen maar rozen. Rozen in alle
kleuren. Dan ziet hij de grijze mevrouw ook. Ze zit bij de tafel
en... ze lacht!

'Zo, kinderen. Ik heb jullie even goed laten schrikken, hè? Dat
hadden jullie ook wel verdiend, hoor!'

Daan en Samira blijven doodstil in de deuropening staan. Ze
weten van verbazing geen woord uit te brengen.

'Maar nu zijn jullie wel genoeg gestraft. Kom gauw zitten!' De
mevrouw wijst naar twee stoelen. 'Anders wordt de thee koud.'

Daan gelooft zijn ogen niet. Er staan inderdaad drie kopjes
thee. Bij ieder schoteltje liggen ook nog twee lekkere koekjes.

Samira stapt naar voren. 'Het spijt ons heel erg, mevrouw!
Het was erg stom van ons en... eh...!'

Ineens weet Daan wat hij moet doen. 'En daarom willen wij u
dit geven.' Hij legt de opgerolde tekening voor haar neer.

Dat had de mevrouw duidelijk niet verwacht. Als ze de rol

openmaakt, worden haar wangen bijna net zo rood als de roos op de tekening. 'O... wat prachtig! Daar... eh... hier doen jullie mij echt een groot plezier mee.'

Samira knijpt Daan even in zijn arm.

Dan horen ze getrippel.

'Kijk, Flip heeft ook nog een cadeautje voor jullie!' De mevrouw wijst.

Als Daan zich omdraait ziet hij het bruine hondje in de deuropening staan. Hij heeft de geknakte rode roos in zijn bek!

Een grote bak

Het is nog vroeg. Als Daan met Samira aan komt wandelen is er nog helemaal niemand op het schoolplein.

'Knikkeren?' vraagt Samira.

'Best.'

Bij de grote kastanjeboom zet Samira haar hak in de harde aarde. Ze wil net een kuiltje draaien als meester Fred het plein op loopt.

'Jongens, hou gauw de deur eens voor mij open.' Hij heeft een grote glazen bak in zijn handen. 'Dit is loeizwaar!'

Daan rent snel naar de voordeur. 'Wat is dat, meester?'

'Een glazen bak,' puft meester Fred.

Daan glimlacht. Ja, dat ziet hij ook wel. Het is geen luciferdoosje. De bak is bijna net zo groot als een verhuisdoos!

'Wat moet erin?' vraagt Samira, die achter de meester aan de gang in huppelt.

Meester Fred gaat steeds krommer lopen. Zijn rugzak schommelt als een dromedarisbult op zijn rug. 'Even wachten, jongens,' kreunt hij. 'Ik hou hem bijna niet meer!'

Daan rent vooruit door de stille gang en doet snel de deur van hun lokaal open. 'Waar moet hij staan, meester?'

Meester Fred strompelt met de bak naar binnen en zet hem op de eerste de beste tafel neer. 'Pfff, wat een zwaar kreng! Hij lijkt wel van lood!'

'Nee hoor!' Daan lacht. 'Hij is van glas, dat zei u toch?'

'Daan, maak jij de bovenkant van die kast even leeg. Dan kunnen Samira en ik dit aquarium erop proberen te tillen.'

'Joepie, we krijgen een vis!' Samira springt juichend door de klas.

'Echt, meester? Krijgen we een vis in de klas?' Daan is al net zo blij als Samira.

'Natuurlijk joh, daar is een aquarium toch voor!' roept Samira. 'Omdat groep 3 gisteren *vis* heeft geleerd. Toch, meester?'

Meester Fred zegt niets. Hij pakt de bak weer vast.

'Wacht, ik zou toch helpen!' roept Samira.

'Ik ook!' zegt Daan. En met z'n drieën dragen ze het aquarium naar de kast.

'Hè, hè!' Meester Fred gaat uitgeput op een stoel zitten. 'Nou, dit was de laatste keer dat ik deze bak getild heb. Die blijft hier voor altijd staan!'

'We krijgen een vis,' zegt Daan tegen Sofie en Mehmet, die samen binnenkomen. 'Tenminste, dat denk ik.' Daan kijkt vragend naar meester Fred, die net een laatste emmer water in het aquarium giet.

'Zo, dit is wel genoeg,' zegt hij. 'Gaan jullie maar in de kring zitten, jongens. Dan zal ik jullie eens laten zien voor wie dit nieuwe huis is.'

'Is het een goudvis, meester?' vraagt Daan.

'Ik denk eerder een haai!' roept Sjaak. 'Het is zo'n grote bak.'

Meester Fred zegt nog steeds niets. Hij tilt zijn rugtas op.

'Daar zit toch geen vis in, meester?' roept Li Mei.

'Dan gaat hij hartstikke dood!'

'Misschien is het wel een muis!' plaagt Bart.

Li Mei kijkt hem een beetje boos aan. 'Die kan toch niet zwemmen!'

Bart haalt zijn schouders op. 'Misschien heeft hij zwembandjes om!'

'Nee hoor, jullie hebben het allemaal mis.' Meester Fred haalt een plastic zakje met water uit de tas. 'Het zijn guppies!'

Twee glimmende visjes spartelen in het zakje. Eén heeft een vrolijk gekleurd staartje. Het lijkt wel alsof hij ermee zwaait. Meester Fred trekt het zakje voorzichtig open en laat de visjes in het water glijden.

'Wat lief!' roept Sofie. 'Kijk, ze vinden het lekker in ons aquarium. Zijn het jonkies, meester?'

'Zo lijkt het wel,' zegt meester Fred. 'Maar de meneer van de winkel zei dat ze niet groter kunnen worden. Het zijn een mannetje en een vrouwtje.'

'Leuk, dan is het een echtpaar,' zegt Samira. 'Meneer en mevrouw Gup!'

Daan zit lekker dichtbij. Hij kan de visjes goed zien. 'Is die bak niet een beetje te groot voor twee guppies, meester?'

'Nee hoor, dan hebben ze lekker de ruimte. Maar we moeten er nog wel wat spulletjes bij kopen. Wat groene takjes en zo. Wie wil er vanmiddag met mij naar de winkel?'

Alle vingers schieten direct de lucht in.

'Nou, Samira en Daan hebben zo goed geholpen met...'

Plotseling slaakt Li Mei een keiharde gil. 'Iiiiiieee!' Ze springt boven op haar stoel en wijst gillend naar de vloer.

Toch een muis? Nee, nu ziet Daan het. Water! Het lijkt wel alsof er een beekje onder de stoel van Li Mei door stroomt! En die beek begint bij...

'Het aquarium!' roept Daan. 'Meester, er loopt water uit het aquarium!'

Nu zien de anderen het ook. Het water in de bak is al meer dan de helft gezakt.

De kinderen roepen nu allemaal door elkaar heen. Sommigen gaan ook op hun stoel staan. Meester Fred rent snel naar het aquarium en probeert het lek te stoppen. Maar het water lijkt overal vandaan te komen.

Bart pakt het lege plastic zakje en schept de beide guppies op. 'Zo, die zijn tenminste gered.'

De ravage is enorm. Iedereen pakt handdoeken en theedoeken en helpt mee met dweilen. Na een half uur is alles opgeruimd. De vloer is droog en er zit geen druppel water meer in het aquarium.

'En mijn buurman zei nog wel dat het een prima bak was,' bromt meester Fred. 'Hij had er jarenlang plezier van gehad.'

'Wij hebben er ook wel plezier van gehad, hoor,' zegt Bart. 'Alleen een beetje kort.'

Daan knikt. 'Zullen wij vanmiddag een andere bak kopen, meester?'

Meester Fred kijkt bedenkelijk. 'Ik dacht het niet, jongens. Ik heb wel weer genoeg van glazen bakken met water.' Hij zucht. 'En weten jullie wat nu het allerergste is? Nou moet ik die zware rotbak toch weer wegtillen!'

Plotseling krijgt Daan een prachtig idee. Hij springt bijna een meter in de lucht. 'Meester! Meester!'

'O nee! Wat is er nu weer?' kreunt meester Fred. 'Nog meer water?'

'Nee, nee! Helemaal geen water!' roept Daan. 'Er kunnen toch ook andere dieren in zo'n bak?'

Even wordt het helemaal stil in de klas. Dan begint iedereen door elkaar te schreeuwen.

'Wij hebben thuis wandelende takken in een bak!' roept Mehmet. 'Zal ik er een paar meenemen?'

'Rupsen kan ook,' zegt Li Mei. 'Dan hebben we binnenkort vlinders.'

'Nee, laten we slangen nemen!' roept Sjaak. 'Gifslangen, die heeft mijn oom!'

Meester Fred steekt twee handen in de lucht. 'Ho ho, jongens. Dit wordt een beetje te gek, denk ik. Ik geloof niet dat Daan slangen bedoelde?'

Daan schudt zijn hoofd. Hij had inderdaad een heel ander beestje in zijn hoofd. Iedereen kijkt naar hem. Hij durft het bijna niet te zeggen.

'Toe maar, Daan,' zegt de meester. 'Ik ben nu al blij met jouw idee als ik die bak niet nog eens hoef op te tillen!'

'Een muis,' fluistert Daan heel zachtjes.

'Wat zeg je?'

'Een witte muis,' zegt hij nu iets harder. 'Het lijkt mij zo leuk om een wit muisje te hebben in de klas.'

Sommige kinderen kijken verschrikt, maar Samira begint direct te juichen. 'Dat is een superidee, Daan. We nemen een wit muisje in de bak. Nee, wacht! We nemen twee witte muisjes in de bak.'

Daan kijkt naar meester Fred. De ogen van de meester staan vrolijk. Hij vindt het helemaal niet zo'n slecht idee. Dat zie je zo!

'Ik vind het toch wel een beetje jammer van de visjes,' zegt Li Mei zachtjes. 'En eh... kunnen die muizen er niet uit klimmen?'

'Nee hoor,' zegt Bart. 'We doen een stukkie gaas over de bak.'

'Ja, dat is slim,' zegt de meester. 'We brengen de guppies terug naar de winkel, dat vinden ze vast niet erg.'

Daan zit te glunderen op zijn stoel. Dat heeft hij toch maar weer even mooi bedacht.

De volgende dag staat iedereen bij de grote bak op de kast. Daan en Samira staan vooraan. Meester Fred heeft een mooi deksel van gaas gemaakt. Op de bodem ligt lekker veel zaagsel. Er staat ook een grappig draaimolentje in en een paar lege wc-rollen.

'Zitten de muisjes er al in?' vraagt Samira.

'Ja hoor,' zegt meester Fred. 'Ze hebben zich verstopt, ze moeten nog een beetje wennen.'

'Ik zie er één!' roept Daan. 'Daar, onder het zaagsel in het hoekje!'

'Ja, het beweegt,' roept Mehmet. 'En daar zit de andere!'

Hij wijst naar een wc-rolletje waar twee rode kraaloogjes uit gluren.

'O, wat schattig!' roept Samira. 'We moeten nog een naam voor ze verzinnen!'

Daar had Daan ook al aan gedacht. Witje vindt hij leuk, of Pluis!

Maar Li Mei heeft een heel ander idee. 'Zullen we ze Blup en Gup noemen? Dan denken we toch nog een beetje aan de vissen!'

En dat vindt de klas een heel goed plan.

Woensdagmiddagwoorden

'Wat doe je, papa?'

'Niks.'

'Ik heb ook niks te doen!'

'Hmm.'

'Ik verveel me.'

'Nou, doe dat maar even ergens anders, Daan. Ik ben net lekker bezig!'

'Maar je zei dat je niks te...!'

'Toe nou, Daan. Laat mij even. Jij hebt de hele woensdagmiddag vrij, maar ik moet geld verdienen!'

Daan zucht. Papa zit achter de computer. Het bureau ligt helemaal vol met losse papieren. Papa schrijft een boek. Maar dat doet hij al heel erg lang. Mama zegt dat ze hoopt dat het af is voordat ze honderd wordt! Daan denkt van niet.

Op de hoek van de tafel staat een blik met potloden en pennen.

Daan haalt er een dikke pen uit. De pen is wel zo dik als een knakworst. Bovenop zitten allemaal gekleurde knopjes.

'Wat is dit?'

'Hè... wat...?' Papa kijkt even opzij. 'O... dat is een, eh... vierkleurenpen.'

Vierkleurenpen? Wat een leuk woord!

Daan schuift het groene knopje naar beneden. Klik! Hij tekent een groene stip op zijn hand. Klik! Hé, dat is grappig. Nu is het rood. Klik!

'Daan, hou nou eens op met dat geklik! Zo kan ik mij niet concentreren!'

Daan zet een zwarte streep.

'Mag ik deze pen misschien...!'

Met een ruk schuift papa zijn stoel achteruit. 'Ja, graag!' schreeuwt hij. 'Hoepel op met die pen en laat mij met rust!'

Daan schrikt. 'Sorry, hoor.'

'Ja, ja, het is al goed!' Papa schreeuwt niet meer. Hij steekt een schrijfblok naar voren. 'Hier! Dan kun je misschien ook een boek schrijven!'

Daan pakt het blok aan. Het is nog helemaal nieuw!

'En doe de deur achter je dicht!'

Daan zit buiten op het muurtje voor zijn huis. Het is heerlijk weer. Hij schrijft met grote blauwe letters *maan* en *vis*. Op ieder vel een ander woord. Het leukste woord is *daan*. Hij trekt de letters over met rood en zwart. En als laatste ook nog met groen. De kleuren van de pen glinsteren in de zon op het papier. Het ziet er mooi uit!

'Joehoe! Daan!' Samira staat aan de overkant op haar balkon te zwaaien. Ze woont op de derde etage. 'Wat doe je?'

Daan houdt zijn pen in de lucht en schreeuwt: 'Ik schrijf mooie woorden!'

Samira vouwt haar handen als een toeter voor haar mond. 'Is dat leuk?'

Daan wil ja schreeuwen, maar het balkon is alweer leeg.

Nog geen minuut later staat Samira hijgend naast hem. 'Mag ik meedoen?'

'Natuurlijk.' Daan geeft haar de pen. 'Kijk, een vierkleuren-pen.'

'Vier kleuren in één pen? Dat is grappig!' Samira schrijft heel langzaam de letter s. Ze gebruikt alle kleuren. 'Gaaf, zeg. Dit is echt een leuke pen!' Ze gaat verder en schrijft ook haar naam. Met aanelkaarletters. Het lijkt wel een schilderij.

'Mooi!' zegt Daan.

Samira scheurt het vel uit het blok. 'Ruilen?'

'Oké!' En meteen trekt hij *daan* uit het blok.

Samira springt op. 'Ik heb een idee. We kunnen voor andere mensen ook wel zo'n naam schrijven. Dat vinden ze vast leuk!'

Daan twijfelt. 'Ik weet niet of iedereen mijn naam wel zo leuk vindt!'

'Nee, druif! Jouw naam niet,' lacht Samira, 'iedereen krijgt zijn eigen naam!'

O ja, natuurlijk!

'Samira?' Daan krijgt ook een idee. 'Denk je dat we die na-men misschien kunnen verkopen?'

Even blijft het stil, maar dan geeft ze hem een klap op de schouder. 'Geweldig, Daan. Dat is een superidee!'

Daan wrijft lachend over zijn gloeiende schouder. 'Vind je?'

'Ja, natuurlijk. Iedereen wil z'n naam wel met zo'n mooie pen! Wie zullen we eerst vragen? Jouw vader?'

'Nee, nee. Doe maar niet,' zegt Daan vlug. 'Die doen we wel

als laatste! Laten we eerst maar naar jouw moeder gaan.'

'Nou jongens, ik weet het niet, hoor. Eén euro is wel een beetje veel.' Samira's moeder staat bij de voordeur met een vel papier in haar hand. Daar staat met vrolijke letters *marcia* op geschreven.

'Maar vijftig cent mag ook wel, hoor!' zegt Samira.

'Ja, of twintig cent!' zegt Daan. 'En dan krijgt u er nog een extra woord bij. Helemaal voor niets.'

Daan laat ze zien. '*vis* of *maan*...!'

Samira's moeder lacht. 'Nou, goed dan. Geef er dan maar een *maan* bij. Lekker romantisch, dat past wel bij mij!' Ze geeft Daan twintig cent. 'Probeer hiernaast maar een vrolijk woord aan onze buurman Berendse te verkopen. Die is altijd zo chagrijnig.'

Samira staat al bij de voordeur van de buren. Ze schrijft de naam over van het bordje bij de bel. Haar tong steekt een beetje uit tussen haar lippen. Dat ziet er grappig uit.

'Klaar! Bel maar aan, Daan!'

Daan doet een stap achteruit. 'Eh, nee hoor. Jij mag wel!'

'Nee joh, hij kent mij veel te goed. Jij moet aanbellen!' zegt Samira heel beslist en ze geeft Daan een duwtje richting de voordeur.

Hij zucht, en voelt zijn hart bonzen in zijn keel. Hij probeert de bel héél even aan te raken.

TRRRRRINGGGG! Een keiharde bel schelt door de flat. Van schrik blijft zijn vinger een paar tellen aan de bel vastplakken. Hij schiet pas los als de deur met een ruk opengaat.

'Wat is dit voor gedonder... O, ben jij het,' bromt een kleine dikke man. Hij draagt een wit hemd met een grote jamvlek. 'Wat moet je?'

Daan slikt. Hij weet wel wat hij moet vragen, maar hij durft het echt niet. Hij blijft naar de jamvlek staren.

Dan duwt Samira hem opzij en trekt het blok uit z'n handen. 'Meneer Berendse, wilt u uw naam kopen?'

Hij trekt een dom gezicht. 'Huh, mijn naam? Ik heb al een naam!'

'Ja, maar deze kunt u bijvoorbeeld ophangen!' roept Samira vrolijk.

'Niet nodig,' bromt de man en hij tikt op het naambordje bij de bel. 'Heb ik al!'

Dan klinkt er een vrouwenstem uit de gang. 'Bram? Wie is daar?'

Nog voordat hij antwoord kan geven, wordt hij opzij geduwd door een vrouw in een knalgroene jurk met rode rozen. 'O, wat gezellig, jullie zijn het. Wat komen jullie doen?'

Meneer Berendse wurmt zich naast zijn vrouw. 'Ze komen voor ons geld. Trap er niet in!'

'Kijk, wij hebben uw naam mooi opgeschreven!' Samira steekt het schrijfblok naar voren.

'U mag hem voor niks hebben,' fluistert Daan, terwijl hij heel even naar meneer Berendse kijkt.

'Of voor een beetje geld,' zegt Samira vlug. 'Dan mag u nog een gratis woord erbij.'

'O, wat een enig idee!' roept mevrouw Berendse en ze stapt

naar buiten. 'Ga jij maar weer naar binnen, Bram. Dit regel ik wel.'

Daan hoort hem brommend wegsloffen.

'Hij meent het niet zo, hoor. Maar van al dat thuiszitten wordt hij een beetje chagrijnig!'

Daan knikt. Dat snapt hij wel. 'U hoeft niet te betalen, hoor!'

'Ben je gek!' roept mevrouw Berendse. 'Natuurlijk betaal ik. Tenminste, als ik mijn mans voornaam erbij krijg!'

Daan begint direct. *Bram*, dat kan hij wel schrijven. Zo, nu nog even omtrekken met een andere kleur.

'Hé Daan!' Hij krijgt een por van Samira. 'Kijk nou wat je schrijft!'

Oei, nou ziet hij het ook. In plaats van een a heeft hij een o geschreven! Wat stom van hem. Hij voelt zijn wangen gloeien.

Maar mevrouw Berendse vindt het helemaal niet erg. 'Ha, ha! Brom! Dat is een goede grap. Brom Berendse!'

Daan zegt niets, hij schaamt zich nog steeds een beetje. Maar dat is helemaal voorbij als ze zomaar één euro van mevrouw Berendse krijgen.

'Dank u wel,' stamelt hij.

'Nee, jullie bedankt,' zegt ze vriendelijk. 'Hier kan mijn man vast ook wel om lachen. En anders ik wel!'

Als ze aan het eind van de middag bij Daan naar binnen stappen, is het schrijfblok bijna leeg. Maar hun broekzak is juist hartstikke vol.

Papa staat in de keuken fluitend in een pan te roeren.

'Is je boek af?' vraagt Daan.

'Bijna!' roept papa en hij fluit weer verder.

'Wij hebben een heel leuk woord te koop,' zegt Samira. 'Speciaal voor u.' En ze houdt het woord *boek* omhoog.

'Geweldig, jongens,' lacht papa. 'Dat had ik precies nodig!'

'Wacht!' Daan staat bij de tafel en schrijft alweer. 'Hier papa, dit woord hoort er nog bij!'

Op dat moment komt mama ook thuis. 'Zo jongens, daar ben ik weer.'

Ze smijt haar tas in een hoek en geeft papa een kus. 'Dag, lieverd! Heb je nog wat kunnen schrijven? Is je boek...!'

Papa houdt twee vellen papier in de lucht. *boek af.* 'Nou ja, bijna,' zegt hij met een serieus gezicht en een dikke knipoog naar Samira en Daan.

Mama draait zich om. 'En wat hebben jullie gedaan, jongens?'

'Wij?' Daan probeert ook heel serieus te kijken. 'O, wij hebben geld verdiend!' En papa krijgt een knipoog terug!

Een klas vol apen

Daan zit aan zijn tafel en kijkt om zich heen. Overal zitten apen. Grote en kleine apen, met of zonder kleren aan. Sommige lief en andere juist heel stoer. Ze zitten of liggen boven op de tafels.

Vandaag leren de kinderen van groep 3 het woordje *aap* en daarom mocht iedereen een knuffelaap meebrengen. Ook de kinderen uit groep 4. Voor Samira zit een zwarte gorilla met een grappig rood truitje aan. En bij Murat zit een chimpansee met een heel lief kleintje op de buik. Dat telt natuurlijk als één aap. Dat moet ook wel, want je mocht er maar eentje meebrengen.

Eén aap kiezen was hartstikke moeilijk, want Daan heeft heel veel apen thuis. Na lang twijfelen heeft hij toch maar Monkey meegenomen. Dat is toch wel zijn lievelingsaap. Hij aait hem over zijn zachte bruine neus. Monkey lacht vriendelijk terug met zijn lieve ogen.

Plotseling klinkt er een schel gekrijs door de klas. 'Oe-hoe-hoe-oe-aaa!' Daan schrikt. Het is de aap van Bart, weet hij. Maar toch schrikt hij bij iedere gil weer.

Barts aap is een grote oranje orang-oetan. Als je op zijn buik drukt, gaat zijn bek langzaam open en begint hij keihard te schreeuwen: oe-hoe-hoe-oe-aaa!

De hele klas lacht, maar meester Fred kijkt een beetje zuur. 'Wat had ik nou gezegd, Bart?'

'Ja, ik weet het, meester,' zegt Bart. 'Maar dit is mijn nieuwe uitvinding, nu hoef ik mijn vinger niet op te steken als ik iets wil vragen.'

De meester kijkt streng, maar zijn ogen lachen. 'Het is goed met jou! Kom maar gauw hier met je vraag.'

Bart aait even over de kop van zijn aap en loopt dan met het rekenboek naar de tafel van de meester.

Als even later ook Bart weer hard zit te werken, roept meester Fred alle derdegroepers in de kring. 'En neem je aap ook maar mee!'

Iedereen zit met de aap op schoot. Meester Fred legt een nieuwe opdracht uit. Hij heeft een doos met glitterpennen bij zich, een bolletje draad en een stapel kaartjes. 'Je mag met een pen aap schrijven. Kijk, zo!' Hij schrijft met mooie krulletters op het kaartje.

Daan wil alvast een gouden pen uit de doos pakken.

'Even wachten, Daan! Want als je het kaartje versierd hebt, moet er ook nog een koordje aan.' Meester Fred knipt een flink stuk draad af en knoopt het aan het kaartje. 'Kijk, nu is het een naamplaatje voor je aap!'

'Leuk,' zegt Daan, 'maar wel een beetje groot voor mijn aap.'

'Hij past wel om uw nek, meester!' zegt Sjaak.

'Denk je dat?' Meester Fred trekt het kaartje over zijn hoofd. 'Hoe staat het mij?'

'Prachtig,' giechelt Li Mei.

Samira staat met haar vinger in de lucht te zwaaien. 'Meester, mag ik wat vragen over deze som?'

'Even wachten, Samira, ik kom zo bij je!'

'Je kunt beter mijn uitvinding gebruiken!' roept Bart. 'Dan hoef je niet te wachten.'

Meester Fred doet alsof hij niets hoort en geeft alle derdegroepers een kaartje. 'Kijk, hier leg ik het draad en de schaar neer. Dat kunnen jullie zelf wel regelen.'

Daan pakt snel een gouden pen uit de doos.

'Mag ik die na jou?' vraagt Sjaak. 'Want mijn Chimp houdt alleen maar van goud.'

'Natuurlijk,' zegt Daan. 'Het is ook de lievelingskleur van Monkey!'

Daan is klaar. Hij zet Monkey weer voor zich neer. Om de nek van zijn aap hangt een mooi kaartje. Het woordje *aap* glimt als echt goud. Hij heeft er allemaal gekleurde letters m omheen geschreven. Van Monkey, natuurlijk!

Er wordt geklopt en direct daarna gaat de deur met een zwaai open. Het is juf Wendy met een lange kale meneer en een kleine mevrouw. De vrouw heeft een klein meisje op haar arm.

'Mogen we even storen?' vraagt de juf. 'Dit is Jozefien met haar ouders. Ze komt later misschien op onze school!'

'Natuurlijk, kom binnen,' zegt de meester vriendelijk.

'Dit is een klas met groep drie en vier,' legt juf Wendy uit. 'Meester Fred heeft op dit moment dertig kinderen.'

De moeder knikt en loopt verder naar binnen. Het meisje op haar arm kijkt vrolijk de klas rond en roept hard: 'Aap!'

'Ja, dat klopt!' Meester Fred gaat voor de klas staan en wijst naar de tafels. 'De jongste kinderen leren vandaag het woord *aap*. Een daarom heeft iedereen een aap meegebracht. Dertig apen in een klas. Ha Ha!' De meester vindt het zelf wel een leuke grap.

'Weet u het zeker?' vraagt de kale man. 'Zijn het niet eenendertig apen?'

Daan kijkt om zich heen. Wat bedoelt hij?

'Nee, hoor,' zegt de meester. 'Het zijn er echt dertig. En dat is meer dan genoeg!'

'Nou, ik geloof dat deze meneer gelijk heeft, meester.' De juf doet alsof ze telt. Maar Daan ziet haar knipoog naar de klas heel goed. Als hij naar meester Fred kijkt snapt hij het plotseling.

'Ja, dat klopt!' roept hij. Daan schrikt van zijn eigen harde stem. Hij zegt zacht: 'Ik bedoel dat u zich misschien wel vergist.'

Meester Fred kijkt verbaasd naar de klas. Hij lacht een beetje zenuwachtig en begint de apen op de tafels nu ook te tellen. 'O, ik begrijp het al!' roept hij opgelucht als hij bij de aap van Murat is. 'Jullie bedoelen natuurlijk het jonkie van de chimpansee!'

De nieuwe vader schudt zijn hoofd. Hij heeft lachkuiltjes in zijn wangen.

Juf Wendy loopt weer naar de deur. 'Gaat u weer mee? Ik denk dat deze meester nog wel een rekenlesje wil doen.'

'Ik denk dat wij maar even een rekenlesje met de meester moeten doen,' zegt Samira tegen Daan.

Vlak voordat de deur dichtgaat, zwaait Jozefien nog even naar de klas en roept: 'Aap!'

Meester Fred is neergeploft achter zijn bureau. 'Ik snap er geen biet van!'

'U moet gewoon een beetje beter tellen, meester,' zegt Li Mei vrolijk.

Er komt nu ook een glimlach op het gezicht van de meester. Hij trekt een la open en haalt er een zakje uit.

'Mmm, lekker, meester!' roept Bart.

Nu ziet Daan het ook. Apenkoppen. Zwart met geel. Die kun je heel lang in je mond bewaren. Heerlijk!

'Ik wilde eigenlijk nog even op apen trakteren, maar...!' Hij brengt langzaam een gekleurde apenkop naar zijn mond. Daan volgt het snoepje met zijn ogen. Hij voelt het water in zijn mond lopen.

'Maar... als jullie liever een rekenlesje willen...?'

'Nee hoor!' roept de hele klas. 'Trakteren!'

'Oké, oké! Maar dan moet iemand mij nog even helpen met tellen.' Meester Fred wijst de apen een voor een aan. Iedereen telt hardop mee. Bij dertig stopt de meester. Maar de hele klas wijst naar hem en roept: 'Eenendertig!'

Meester Fred legt zijn hand op zijn borst. 'Ik?' Dan voelt hij het kaartje om zijn nek. Daar staat met prachtige letters *aap* op geschreven.

Koek

Daan legt een woord op de letterdoos. Hij leest zijn laatste zin: *ik eet een poes*. Grappig!

Meester Fred heeft gezegd dat ze vandaag zinnen met *eet* mogen maken. Geen losse woorden meer, dat is veel te gemakkelijk. Echte zinnen! Daan heeft zijn hele doos vol gelegd.

ik eet een vis
ik eet een reep
ik eet een peen
ik eet een koek
ik eet een poes

Onder de tafel klinkt plotseling een hard gebrom, alsof zijn maag een boer laat. Hij drukt zijn hand op zijn buik. Het blijft maar rommelen in zijn maag.

'Heb jij een beer ingeslikt, Daan?' Meester Fred staat vlak achter hem en leest de zinnen op de letterdoos. 'O, ik snap het al. Van zulke mooie eetzinnen krijgt iedereen honger!'

Daan knikt. Hij heeft heel erg veel trek gekregen.

'Allemaal snel opruimen!' roept de meester. 'Want de maag van Daan schreeuwt om eten!'

'Nou, anders die van mij wel!' zegt Bart. 'Mijn maag brult als een vulkaan!'

Iedereen heeft zijn tas gepakt. 'Niet te veel eten hoor,' zegt meester Fred. 'Om half elf gaan we naar buiten.'

Sommige kinderen hebben fruit meegenomen, andere een koek.

'Getver!' hoort Daan naast zich. Samira kijkt met een vies gezicht naar een donkerbruine koek. 'Papa weet dat ik deze met rozijnen niet lust. Dat doet hij gewoon expres!'

Daan neemt een hap van zijn eigen koek. Appelsmaak. Lekker! 'Wil je er eentje van mij? Ik heb er toch twee.'

'Graag,' zegt Samira. En ze legt haar koek op zijn tafel.

Dat had hij eigenlijk niet zo bedoeld. Hij ruikt voorzichtig aan de rozijnenkoek van Samira.

'Als jij hem niet eet, wil ik hem wel, hoor!' roept Sjaak. 'Dan mag jij deze chocoladekoek.'

'Wat zijn jullie daar eigenlijk aan het doen?' Meester Fred zit aan het tafelgroepje van Bart te eten, maar hij houdt alles goed in de gaten.

'Wij hebben hier een ruilwinkel, meester!' roept Samira.

Ja leuk, denkt Daan. En hij roept: 'Bij ons kun je alles ruilen!'

De meester loopt naar hun tafelgroepje. 'Ook deze droge crackers van mij?'

'Ja! Die vind ik lekker,' roept Li Mei. 'Wilt u dan mijn peer?'

'Nou graag, ik ben dol...!'

Op dat moment wordt er op de deur geklopt. Er komen twee jongens van de bovenbouw binnen. 'Juf Riet wil graag weten wat jullie vrijdag in de weeksluiting gaan doen.'

Iedere vrijdagmiddag komen alle kinderen van de school bij elkaar om de week af te sluiten. Alle klassen mogen dan iets op het podium presenteren.

De jongens hebben een schrift meegenomen en staan klaar om het op te schrijven.

'Wat gaan we doen, meisjes en jongens?' vraagt meester Fred aan de klas. 'Doen we een lied, of een toneelstukje of misschien een dansje?'

'Toneel!' roept bijna de hele klas.

'De klas van meester Fred doet een toneelstuk,' schrijft een van de jongens in het schrift. 'En hoe heet het?' Hij kijkt de meester vragend aan.

Meester Fred denkt niet eens na. 'Koek!' roept hij.

'Koek? Hoe bedoelt u?'

'Zoals ik het zeg! Koek. Het toneelstuk heet k-oe-k. Koek!' Hij maakt de knipbewegingen die groep 3 ook maakt bij een nieuw woord.

De kinderen in de klas grinniken.

Als de jongens van de bovenbouw weer verdwenen zijn vraagt meester Fred: 'Wie heeft er een idee?'

'O, ik dacht dat u al een idee had,' zegt Bart.

'Nee, ik heb de titel bedacht,' lacht de meester. 'Dat was al lastig genoeg. Nu jullie!'

Het blijft even stil. Je hoort alleen maar het knisperen van de koekpapiertjes en de meester die aan zijn sappige peer slurpt.

Dan springt Samira omhoog. 'We kunnen toch gewoon zo'n ruilwinkel spelen. Dan vraag ik wel aan papa of hij nog een paar van die vieze rozijnenkoeken mee wil geven.'

'Ja, dat is leuk!' roept Roosmarie. 'Dan nemen we allemaal verschillende koeken mee.'

'En fruit,' zegt Li Mei. 'We maken er een markt van met allemaal kraampjes.'

'Super, jongens,' zegt de meester. 'Spelen we allemaal mee?'

'Natuurlijk!' roept Samira, die dol is op toneelspelen. 'Dan ben ik Sneeuwwitje!'

'Sneeuwwitje?' zegt Sjaak. 'Wat heeft die er nou weer mee te maken?'

'Nou, die heeft toch zo'n vieze appel? Die gaat ze dan ruilen op de markt.'

Daan wordt nu ook enthousiast. 'Die appel ruilt ze dan voor zo'n droge koek,' zegt hij. 'Want daar stik je zo in.'

Het gerommel in zijn maag is helemaal over. Hij voelt nu een lekkere kriebel.

Bart lacht. 'Ja, en dan ben jij zeker de prins die Sneeuwwitje wil zoenen!'

'Nee, hoor!' roept Daan snel. 'Ik wil liever een koopman zijn.'

Meester Fred gaat voor de klas staan. 'Ik hoor het al. Dit wordt een geweldig toneelstuk.' Hij veegt wat perensap van zijn kin. 'Vanmiddag gaan we de rollen wel verdelen. Laten we eerst maar eens lekker buiten gaan spelen.'

Die vrijdag spelen ze het toneelstuk 'Koek' voor alle kinderen van de school. Iedereen heeft fruit en koeken meegenomen. Samira kreeg zelfs een heel pak mee, ook voor het oefenen.

Daan is gelukkig een koopman geworden. Hij roept de hele tijd:

'Dames en heren, hier ruilt u appels en peren!'

Ze hebben wel zeventien dwergen bedacht, want anders waren er niet genoeg rollen. Zij stampen steeds in een lange rij over de markt en zingen:

'Eén twee in de maat
want we zijn al veel te laat!
Drie vier en ik zoek
sappig fruit of appelkoek!'

Meester Fred is de prins. Hij is de enige die Samira een zoen durft te geven.

Ze krijgen een groot applaus van de zaal!

Als ze weer in de klas komen, heeft de meester nog een verrassing. Hij schenkt voor alle kinderen limonade in. 'Omdat jullie zo goed gespeeld hebben,' zegt hij. 'En dan mogen jullie ook alle koeken opeten!'

'Pff,' kreunt Bart. 'Ik kan geen koek meer zien.'

Samira maakt wel een pakje open en bijt in een rozijnenkoek.

Daan kijkt haar verbaasd aan. 'Ik dacht dat je ze zo vies vond?'

Samira neemt lachend nog een grote hap en mompelt met volle mond: 'Ja, dat dacht ik zelf ook. Maar na al het oefenen zijn ze juist superlekker geworden!'

Klop klop, wie ben ik?

'Ruim de spullen maar op, jongens!' zegt meester Fred. 'We hebben nog wel tijd voor een spelletje!'

Daan kijkt naar de klok boven de deur. Het duurt nog wel even voordat de pauze begint. 'Zullen we het aanklopspel doen, meester?' vraagt hij.

'Ja, leuk!' roept iedereen.

'Goed idee, Daan,' zegt meester Fred.

'Mag ik, meester?' roept Sofie. 'Dan ben ik heel verdrietig.'

Meester Fred knikt. 'Dat is goed. En wie wil er naar de gang?'

Een paar kinderen zwaaien meteen met hun vinger in de lucht. Daan niet. Hij kijkt veel liever.

'Ik kies Bart,' zegt de meester. 'Jij bent een meneer die iets wil kopen.'

Bart loopt direct naar de deur. 'Komt voor elkaar, mees!'

Ha leuk, denkt Daan. Bart en Sofie kunnen hele grappige dingen verzinnen.

Bart loopt snel naar de gang.

'Begin maar! De eerste die lacht, is af!' roept meester Fred.

Er wordt hard op de deur gebonsd. Sofie haalt diep adem en gaat een beetje krom staan. Dan doet ze de deur van de klas open. 'Wat kan ik voor u doen?' vraagt ze huilerig.

Bart springt naar binnen. 'Goedemiddag mevrouwtje, wat heeft u een prachtig huis. Precies wat ik zoek!'

Sofie blijft stil bij de deur staan. Ze zegt niets terug.

Bart kijkt om zich heen. 'Super-prachtig! En zo lekker groot!'

'Wie bent u, meneer? En wat wilt u eigenlijk?' De stem van Sofie klinkt een beetje zacht en daardoor ook verdrietig.

Bart steekt een hand naar voren. 'Ik ben... eh... Bart Kroket en ik kom uw huis kopen.'

Sommige kinderen in de klas beginnen te giechelen, maar Sofie kan haar lachen heel goed inhouden.

'Aangenaam. Ik ben mevrouw Frietjes,' zegt ze. En ze snikt erbij. Net echt! 'Ik wil mijn huis niet verkopen.'

'O nee? Ook niet voor een miljoen euro?'

'Nee, meneer. Dan ook niet! Zelfs niet voor tien miljoen. Gaat u alstublieft weg!' Sofie speelt heel goed. Het lijkt wel alsof ze écht huilt.

Bart haalt een half kauwgompje uit zijn broekzak. 'Ah toe, mevrouw! U krijgt dit heerlijke snoepje er gratis bij!' Hij likt er even aan. 'Echt verrukkelijk! Plieies! Mag ik nu uw huis kopen?'

Gaat Sofie nu lachen? Nee hoor, ze begint juist nog veel harder te huilen. 'Nee, nee! Ik wil het niet, meneer Kroket!'

Bart lijkt er zelfs van te schrikken. 'Pardon... eh... mevrouw Frietjes. Maar daar hoeft u toch niet zo om te huilen?'

'Ja, natuurlijk wel, want ik ben heel erg verdrietig,' brult Sofie. 'Mijn lieve Gijsje is verdronken!'

De klas wordt onrustig. Zou er wel iemand gaan lachen?

'Eh... wie is Gijsje eigenlijk?' vraagt Bart voorzichtig.

Sofie haalt haar neus op en wrijft in haar ogen. 'Gijsje? Dat is mijn goudvis!'

Bart draait zich snel om, maar Daan heeft het al gezien. 'Ja, hij lacht!' roept hij. 'Bart is af!'

Meester Fred grinnikt en begint te klappen. 'Sofie heeft gewonnen! Maar jij was ook super, Bart. Ik zou ook niet tegen een verdronken goudvisje kunnen!'

'Nog eentje, meester?' vraagt Daan.

'Goed, maar dan doe jij ook mee.'

Daan twijfelt. Kijken is veel leuker. Zo goed als Bart en Sofie kan hij het toch niet.

Meester Fred zegt: 'Ik ga wel aankloppen. Eens kijken wie van ons het eerst lacht!'

Daan zucht. 'Wat moet ik dan spelen?'

'Een hele boze meneer!'

'Maar ik weet helemaal niks!'

'Nou, dat komt goed uit, want ik moet nog even naar de wc. Dan heb je genoeg tijd om iets te bedenken.'

Meester Fred verdwijnt naar de gang en doet de deur achter zich dicht.

Daan kijkt de klas rond. Wie zou er in zijn plaats willen?

'Kom op, Daan,' roept Samira. 'Je kunt het best!'

'Ja, lachen,' roept Sjaak. 'Lekker boos zijn op de meester!'

Daan weet niet of dat wel lachen is. Dan wordt er op de deur geklopt. Hij schrikt er toch nog van. Alle kinderen kijken hem aan.

'Toe nou, jij bent!' fluistert Li Mei.

Langzaam schuifelt hij naar de deur.

Weer wordt er geklopt. Het klinkt ongeduldig. Klop, klop, klop, klop!

'Doe je best, Daan!' zegt Bart. 'Boos, hè?'

O ja. Daan probeert zo kwaad mogelijk te kijken. Hij haalt diep adem en roept tegen de gesloten deur: 'Wat een lawaai, u maakt iedereen wakker! Wilt u weggaan?' Hij schrikt van zijn eigen woorden.

'Nee, dat wil ik niet!' roept een zware bromstem uit de gang.

Bijna de hele klas lacht, maar hij mag natuurlijk niets laten merken. 'Nou, dan blijft u maar staan! Ik doe de deur toch niet open.'

Dit voelt echt fijn. Hij wist niet dat schreeuwen tegen de meester zo leuk kon zijn. 'Wat komt u eigenlijk doen, meneer Brombeer?'

'Zeg jongeman, niet zo brutaal! Ik ben agent Pen en ik kom voor een bezoek aan groep 7 en 8!'

'Nou, dan mag u wel eens een brilletje kopen, meneer Pennetje. Dit is het lokaal van groep 3 en 4!' Daan maakt zijn stem zo boos mogelijk. 'En nu wegwezen, wij willen weer verder slapen!'

De hele klas ligt in een deuk. Een paar kinderen komen vlak bij hem staan. 'Hou vol, Daan,' fluistert Mehmet. 'Dit ga je winnen. Ik denk dat meester Fred stiekem al lacht!'

Daan voelt zijn hart sneller kloppen. Nu moet hij een grappig scheldwoord bedenken. Agent Vulpen? Of agent Gelpen? Wacht, hij heeft een idee. 'Wat bent u stil, agent Pennenlikker! O, ik snap het al, u bent weg om een boef te vangen. Handen omhoog of ik schiet met mijn prikpen!'

Snel knijpt Daan zijn lippen stijf op elkaar. Niet lachen!

'Ik weet niet wie jij bent, mannetje. Maar dit pik ik echt niet!'

De deur trilt van het gebulder. Meester Fred lijkt echt kwaad. 'Ik ga naar de directeur en dan heb jij nog geluk, ventje, want ik kan je ook arresteren!'

Daan kan het niet meer tegenhouden. De lach schiet als een hinnikend paard uit zijn mond. Tranen stromen over zijn wangen. Meester Fred heeft gewonnen.

Daan wil de deur opengooien. Maar plotseling hoort hij nog een stem op de gang. Er wordt druk gepraat maar hij kan het niet goed verstaan.

Meester Fred praat weer gewoon. Of toch niet? Nee, nu buldert hij weer met die zware stem!

Langzaam duwt Daan de deur open. De klas wordt doodstil. Hij ziet een brede rug met een blauw jasje. Daarboven glinsteren zweetdruppeltjes op een vuurrode nek. En daarop zit een groot hoofd met de glimmende pet van een... agent!

Meester Fred staat er een beetje zielig naast. Hij heeft ook zweetdruppeltjes, op zijn voorhoofd.

'Daan kan er niets aan doen, meneer de agent,' hakkelt hij. 'Het was een spelletje! We deden wie het best zijn lachen in kan houden.'

De agent kijkt verbaasd van de meester naar Daan. 'O,' bromt hij, 'en wie heeft er gewonnen?'

Daan twijfelt even, maar dan grinnikt hij. 'U, meneer!'

Sneeuwreus

Het is doodstil in de klas. De kinderen hebben een boek voor zich liggen. Iedereen leest. Daan ook. Hij houdt van lezen, vooral als het een spannend boek is. Nu leest hij een boek over Reus Rik. Het is een grappig verhaal, maar ook lekker spannend. Het gaat over een vuurspuwende draak.

'Meester, het sneeuwt!'

Daan schrikt van de harde schreeuw. Zijn boek valt bijna op de grond en de draak is in één klap uit zijn hoofd verdwenen.

Bart staat bij het raam te springen. 'Kijk dan!'

Een paar kinderen rennen direct naar de vensterbank.

Samira staat al vooraan en draait zich om. 'Kom kijken, Daan, dit moet je zien!'

Hij kijkt even naar meester Fred. Die knikt glimlachend.

Daan probeert zich door de kinderen naar voren te dringen. Samira zit in de vensterbak en trekt hem naast zich tussen de planten.

De sneeuw dwarrelt in duizenden vlokken naar beneden. De hele lucht lijkt één wit wattengordijn. De klas wordt er stil van.

Het hoge hek voor de school is nauwelijks meer te zien. De grote zwarte takken van de kastanjeboom veranderen binnen een paar tellen in lange witte armen. De vlokken lijken steeds groter te worden. Daan drukt zijn neus tegen het raam. Het lijkt alsof er over het hele plein een zachte witte deken ligt.

'Laten we naar buiten gaan, meester!' roept Bart. 'Lekker een sneeuwballengevecht houden, de jongens tegen de meisjes!'

'Ja! Dan bouwen we een fort!' roept Li Mei.

Sommige kinderen willen al naar de deur lopen. 'Kom op, dan gaan we eerst heel veel sneeuwkogels rollen!' roept Murat.

Maar meester Fred denkt er anders over. 'Ho, ho, rustig aan! We moeten het lezen nog even afmaken. En ik wil ook nog een dicteetje doen!'

Samira gaat voor meester Fred staan. 'Ah, toe nou, meester. Dan mag u bij de meisjes!'

'Oké, afgesproken. Maar dan wel na het dictee,' lacht hij. Mopperend gaan de kinderen weer terug naar hun tafeltje.

Daan gluurt nog even naar buiten. Gelukkig, het sneeuwt nog steeds.

Dan klinkt er plotseling een enorm gejuich en even later horen ze joelende stemmen van kinderen die buiten aan het spelen zijn.

'O, de kleuters mogen wel naar buiten, meester!' zegt Bart. 'Dat is pas oneerlijk!'

'Helemaal niet, kleuters spelen altijd buiten,' antwoordt de meester.

Daan rekt zich uit om het plein goed te kunnen zien. 'Straks vertrappen ze onze mooie sneeuw,' fluistert hij.

Meester Fred heeft hem gehoord. 'Nee hoor, de kleuters blijven om de hoek op hun eigen plein. Dat regelt juf Wendy wel.'

Gelukkig maar!

'De… klas… maakt… een… pop… van… sneeuw.' Meester Fred zegt de zin langzaam.

'Groep 4, schrijf op: *sneeuw*. En groep 3, schrijf op: *pop*.'

Daan buigt zich over zijn schrift. *pop*, lekker makkelijk!

'Het tweede woord. De… pop… wordt… zo… groot… als… een… reus. Groep 3 schrijft op: *reus* en groep 4…' Meester Fred kijkt naar buiten. 'Wat zullen we nou krijgen?'

Daan gaat staan en ziet een klein jongetje met een rode muts op hun plein. Hij duwt met veel moeite een grote sneeuwbal voor zich uit en laat een slingerend spoor achter in de witte sneeuw.

Meester Fred is in drie stappen bij het raam en bonst hard op de ruiten. Het jongetje kijkt geschrokken op. Dan zwaait meester Fred een raam open. 'Wat zijn we aan het doen op ons plein?' brult hij.

Het jongetje laat de sneeuwbal los en doet een paar stappen achteruit. Hij durft niets terug te zeggen.

Meester Fred laat zijn stem iets vriendelijker klinken. 'Ga maar gauw terug naar jullie eigen plein. Deze sneeuw is van ons.'

Het jochie rent vlug de hoek weer om.

Meester Fred doet het raam dicht. 'Zo, dat is ook weer geregeld. Van die kleuters zullen we geen last meer hebben.'

Hij loopt weer naar zijn tafel. 'Waar was ik ook alweer gebleven? O ja, reus!'

Daan wil weer gaan zitten, maar dan ziet hij weer iemand de hoek omkomen. Hij wijst naar buiten. 'Meester, kijk!'

Juf Wendy loopt met grote passen naar de eenzame sneeuw-

bal op het plein en begint te duwen.

'Nou wordt hij helemaal mooi!' roept meester Fred.

De juf staat stil. Ze zwaait naar de verbaasde meester met zijn kinderen voor het raam en duwt dan weer verder.

'Ze pikt al onze sneeuw!' Samira wil het raam weer opendoen. 'Stuur haar weg, meester!'

Maar meester Fred staat al bij de deur. 'Ik ben zo terug, jongens! Laat dit maar even aan mij over. Wat denkt ze wel!'

De kinderen verdringen zich voor het raam. Het lijkt wel of het nog harder gaat sneeuwen. Ze zien meester Fred die zonder jas recht op juf Wendy afstapt. Hij maakt wilde gebaren en wijst naar het kleuterplein. Daan ziet dat een groepje kleuters bij de hoek staat toe te kijken.

Juf Wendy staat met haar handen in de zij en schudt haar hoofd heftig heen en weer. Dan geeft meester Fred een schop tegen de bal.

'Goed zo, mees!' roept Bart. 'Maak die pop maar een koppie kleiner!'

Daan krijgt het er helemaal warm van.

Plotseling pakt juf Wendy een handvol sneeuw en smijt deze recht in het gezicht van hun meester. De kleuters bij de hoek juichen.

Daan klopt tegen het raam. 'Teruggooien, meester! Pak een sneeuwbal!'

Maar dat hoef je tegen meester Fred niet te zeggen. Hij breekt een groot stuk van de gerolde bal af en laat dit boven op het hoofd van de juf landen. Dan komen de kleuters schreeuwend en joelend aanrennen. Van alle kanten wordt de meester onder vuur genomen.

Daan weet even niet wat er gebeurt, maar Bart staat al met een groep kinderen bij de deur. 'Kom op, jongens, naar buiten. Red de meester!'

Bart en Samira stormen als eersten naar buiten, gevolgd door de hele klas. 'Aanvallen!'

Dan volgt het grootste sneeuwballengevecht dat Daan ooit heeft meegemaakt. Na vijf minuten en heel veel goed gemikte sneeuwkogels zijn de kleuters teruggevlucht naar hun eigen plein.

Meester Fred is helemaal wit, behalve zijn gezicht. Dat is vuurrood. 'Bedankt, jongens, zonder jullie was het nooit gelukt.'

'Mogen we dan als beloning buiten blijven spelen?' vraagt Samira.

Meester Fred blaast in zijn handen. 'Eigenlijk wilde ik het dictee nog even afmaken.'

Daan zit op zijn knieën in de sneeuw. 'Kijk eens, meester. Ik maak het dictee buiten wel.' Met grote letters schrijft hij *reus* in de witte sneeuw.

Meester Fred glimlacht. 'Goed, jongens, schrijf op: De... klas... van... meester... Fred... blijft... bui...'

De rest van het dictee gaat verloren in een groot gejuich!

Een feest van licht

Daan loopt met zijn vader en moeder op straat. Wat een raar gevoel om 's avonds naar school te lopen! Sommige mensen hebben hun struiken versierd met kleine lampjes. In één tuin branden zelfs echte fakkels.

Brr, het is koud buiten. Daan voelt zijn wangen tintelen. Hij huppelt een stuk voor zijn ouders uit. In de verte ziet hij de school. Van alle kanten komen er kinderen met hun ouders aan lopen. Het schoolplein stroomt helemaal vol.

'Daan! Daan!' Samira staat bij het duikelrek te wachten. In haar donkere haar glinsteren honderden zilveren kraaltjes.

'Wauw!' zegt Daan.

Samira draait een rondje. 'Vind je het mooi? Mijn moeder heeft ze ingevlochten.'

'Heel mooi,' zegt Daan, 'het hoort echt bij kerst.'

'Precies! Een het past ook heel goed bij onze...' Samira trekt even aan zijn winterjas. 'Je bent het toch niet vergeten?'

'Natuurlijk niet!' Hij kijkt goed om zich heen en trekt dan de rits van zijn jas een stukje naar beneden. Om de boord van zijn witte overhemd zit een glimmende groene stropdas. Er zijn allemaal kerstballen opgedrukt.

'Prachtig! Doet hij het nog?' vraagt Samira.

'Thuis nog wel,' fluistert Daan. Hij drukt op een zwart stipje en plotseling beginnen de kerstballetjes op de stropdas te knipperen in verschillende kleuren. Snel drukt hij ze weer uit. 'En die van jou?'

Samira laat haar strikje ook zien. Het is rood, ook met kerstballen erop. Als ze op het stipje drukt, klinkt er duidelijk: 'Jingle bells, jingle bells!'

Daan neuriet zachtjes mee, maar Samira drukt het strikje weer uit. 'Mijn vader zegt dat we hem niet te vaak aan moeten doen. Anders gaat de batterij op!'

Daan hangt zijn jas aan de kapstok. Door de gangramen ziet hij al hoe gezellig het in hun klas is. Vanmorgen hebben ze de tafeltjes al verschoven. Alle kinderen hebben een eigen placemat gemaakt en een glazen potje versierd voor een waxinelichtje. Hij stoot Samira aan. 'Zie je dat, het lijkt wel een echt restaurant!'

Meester Fred staat bij de deur. Hij heeft een deftig pak aan. Dat ziet er grappig uit. 'Goedenavond, meneer en mevrouw!' Hij praat met een hoge stem. 'Wat heeft u een prachtige feestkleding aangetrokken.'

Samira en Daan krijgen een hand van de meester. 'Welkom in ons sterrenrestaurant. U heeft gereserveerd?'

Daan weet niet wat hij moet zeggen. Maar Samira speelt meteen mee. 'Ja, hoor!' Ze praat heel deftig. 'Een tafeltje voor twee personen graag!'

'Uitstekend, ik heb nog een mooi plekje!' Meester Fred wijst naar hun eigen tafeltjes en maakt een kleine buiging.

Bijna iedereen zit al. De vaders en moeders zetten de schalen met lekkers op de grote tafel in het midden. Daans vader zet een bord met kleine gehaktballetjes neer. Hij zwaait nog even en vertrekt weer.

'Wij hebben mijn lievelingshapjes gemaakt,' zegt Samira. 'Baka Bana!'

Daans maag begint te knorren. 'Mm, lekker. En ik hoop dat Mehmet die heerlijke zoete broodjes van zijn verjaardag weer heeft gemaakt!'

Meester Fred doet de deur van de klas dicht. Hij steekt zijn neus in de lucht en snuift. 'Wat een heerlijke geuren! Hier zijn echte topkoks aan het werk geweest.'

Bart houdt zijn glazen potje omhoog. 'Meester, kunnen de lichtjes aan?'

'Goed idee, Bart!' Meester Fred pakt twee speciale aanstekers. Hij geeft er één aan Bart. 'Hier, als jij even helpt, zijn we zo klaar.'

De meester heeft net het eerste waxinelichtje aangestoken, als de deur openzwaait. Sjaak komt binnen met zijn jas nog aan.

'Wij hebben kippenpootjes, meester!' Hij wijst naar een volle schaal die door een lange meneer met een grote snor wordt binnengebracht. Daan kent hem niet. De man ziet er niet aardig uit. Met een boos gezicht zet hij de kippenpootjes op de middentafel en loopt naar meester Fred. Hij wijst naar het brandende kaarsje.

'Heeft u daar een vergunning voor?'

Meester Fred kijkt hem verbaasd aan. 'Vergunning? Hoezo vergunning? Vergunning voor wat?' Hij gebruikt nu helemaal geen hoge stem meer. 'Wie bent u eigenlijk?'

'Dat is mijn oom, meester!' roept Sjaak. 'Ome Cor is brand-weerman!'

De man kucht. 'Brandmeester eerste klas. Drakema!'

De meester steekt een hand naar voren. 'Meester Fred. Van de Dolfijnenklas!'

Daan grinnikt zachtjes. Meester Fred vindt de man vast ook niet aardig.

De oom van Sjaak loopt naar het kaarsje van Li Mei dat net is aangestoken. Hij tilt het potje op en blaast de vlam uit. 'Geen open vuur in de school!'

'Meneer de brandmeester?' zegt meester Fred. 'Vorig jaar mochten wij geen kaarsen meer aansteken. Dat snap ik. Maar dit zijn geen kaarsen. Dit zijn kleine lichtjes in een glazen potje.' Met een vriendelijke lach pakt meester Fred het potje terug en steekt het weer aan. 'Ziet u wel?'

De snor van de lange man begint te trillen. 'Lichtjes? Dat mag natuurlijk!' roept hij. En hij wijst naar de lampjes in de boom. Hij haalt diep adem en brult dan: 'Maar dit is open vuur! En dat is verboden!'

Daan schrikt. De oom van Sjaak is wel heel erg boos. Het lijkt wel alsof hij het waxinelichtje uit wil spugen.

'En geeft u die aansteker maar aan mij, die hebt u niet meer nodig.' De brandweercommandant rukt hem uit meester Freds hand. 'Zijn er nog meer van deze dingen?'

Daan draait zich om naar Bart. Hij bedenkt net te laat dat dit niet zo slim is. De brandmeester heeft het al gemerkt.

Hij wijst naar Bart.

'Jij daar! Wat heb jij te verbergen?' buldert hij.

'Wie, ik?' vraagt Bart met een poeslieve stem. En hij steekt beide handen naar voren. 'Niets hoor!'

De man snuift hard door zijn neus. Hij lijkt wel een walrus. Dan stampt hij naar de deur. Daar draait hij zich nog één keer om. 'Geen open vuur!'

Niemand zegt iets. Maar dan klinkt er zacht gesnik. Sjaak zit met zijn jas aan bij zijn tafel. Zijn hoofd ligt op de placemat en schokt bij iedere snik op en neer.

Daan voelt ook tranen in zijn ogen prikken.

Meester Fred loopt naar Sjaak. 'Jij kunt er niks aan doen, hoor.' Hij legt een hand op Sjaaks rug. 'Doe je jas maar uit.' Dan kijkt hij de klas rond. 'In een deftig restaurant kun je niet met je jas aan eten!'

'Ik heb niet zo veel trek meer, meester,' zegt Mehmet.

Meester Fred klapt in zijn handen. 'Wat is dit nu, jongens? We laten ons toch niet op de kop zitten door meneer Draak?'

'Een vuurspuwende draak...' zegt Samira.

'Nee joh!' roept Bart. 'Open vuur is toch verboden!'

Daan voelt zich al weer een stuk beter. 'Bart, waar is die aansteker eigenlijk gebleven?'

'Ja, magische handjes, hè!' zegt Bart. Hij bukt zich en kruipt onder zijn tafel. 'Hij moet hier ergens...!'

Floep! Ineens is het helemaal donker. Alle lichten schieten uit. De lampjes in de boom, de schemerlamp in de hoek en zelfs de lichten op de gang. Het is pikkedonker in de hele school.

Er klinkt ergens een gil en direct daarna een harde brul.

'Geen paniek!'

De brandweercommandant, denkt Daan.

'Meester?' Daans stem trilt. 'Meester, wat gebeurt er?'

'Ben jij dat, Daan? Ik weet het niet, jongen. Ik denk dat de stoppen doorgeslagen zijn.'

'Ja, dat lijkt mij logisch met zo veel lichtjes aan!' roept Bart van onder de tafels.

BOINK!

'Au!'

'Wat doe je, Bart?' roept de meester.

'Ik stoot mijn kop! Die aansteker moet hier ergens liggen, maar ik zie niks.'

'Je moet voelen, Bart!' fluistert Li Mei.

'Ja, dat snap ik! Is er nergens een zaklamp of zo?'

Dan roept Samira: 'Daan! Jij hebt een lichtje!'

'Ik? Hoe kom je daar nou bij?'

'Je stropdas! Druk op je das!'

O ja, natuurlijk heeft hij licht. Hoe kon hij dat nou vergeten? Daan zoekt met zijn handen naar het zwarte puntje op de das. Als hij erop drukt, moet hij zijn ogen even dichtdoen. De verschillende kleuren lijken nog veel feller dan op het plein.

'Ooh,' klinkt het van verschillende kanten.

'Wat mooi!' roept Roosmarie. 'Je lijkt net een... kerstboom!'

Daan draait een rondje op zijn plaats.

'Kom maar iets dichterbij!' roept Bart.

Nu heeft Bart de aansteker snel gevonden. Meester Fred

steekt een paar waxinelichtjes aan. 'Zo, anders kunnen we niet zien wat voor lekkers er op ons bord komt!'

'Wij hoeven geen kaarsje, hoor,' zegt Samira. 'Wij hebben ons eigen licht!' Ze geeft Daan een por. Hij krijgt het er helemaal warm van.

Dan klinkt er een zacht klopje op de deur. Langzaam gaat de deur een klein stukje open. 'Mogen we misschien heel even een eh... kaarsje van u lenen?' De stem van de brandweercommandant klinkt nu helemaal niet streng meer. 'Het is hier nogal donker op de gang, ziet u! We moeten een stop verwisselen.'

'Daan, kom eens hier?' Meester Fred neemt hem mee naar de deur. 'U mag dit knipperlichtje wel even lenen!'

Daan voelt zijn hart bonzen. Hij is hartstikke trots, maar het is ook wel een beetje eng om met die brandweerman mee te gaan.

'Ik ga ook mee!' roept Samira. 'Want onze dassen horen bij elkaar!'

'O, dat is goed,' mompelt de commandant.

'Maar ons eten wordt wel koud,' zegt meester Fred. 'Misschien mogen we voor deze ene keer toch een paar kaarsjes aanhouden?'

De man bij de deur bromt iets onverstaanbaars.

'Ik denk dat u ja bedoelt?' vraagt de meester opgewekt. 'Gaan jullie dan maar met deze meneer mee!'

Even later loopt er een knipperend licht door de donkere gang en er klinkt een vrolijk kerstliedje naast: 'Jingle bells, jingle bells...!'

René van der Velde

René van der Velde werd geboren in Friesland, maar woont al zijn
halve leven in Leiden. Hij geeft les op een jenaplanschool in Oegst-
geest. Een tijdlang is hij schooldirecteur geweest, maar omdat dit
steeds meer een kantoorbaan werd, is hij toch weer vooral gaan
lesgeven. Na al die jaren in het onderwijs vindt hij het nog steeds
heel bijzonder om kinderen te leren lezen.

De klas van Daan is zijn eerste boek. 'Ik ben de verhalen over
Daan op gaan schrijven omdat ik dit soort verhalen over het school-
leven in mijn groep mis,' zegt René van der Velde. 'Juist voor de
middenbouw zijn er weinig voorleesboeken met schoolavonturen.
Daarnaast is het leuk om de verhalen te gebruiken bij de woordjes
van het leren lezen. Ik verzin de meeste verhalen terwijl ik vertel.
Dan merk ik ook aan de reacties van de kinderen welke stukjes leuk
genoeg zijn om te gebruiken of welke stukken juist veel te saai zijn.
Later lees ik de echte verhalen natuurlijk ook nog voor. Mijn klas
fungeert dus eigenlijk als proefkonijn. Dat vinden ze helemaal niet
erg. Iedereen houdt van voorlezen!'